영작과 영어학습을
"더" 잘할 수 있다!

ChatGPT와
"더" 친해질 수 있다!

챗GPT
구글번역, 파파고, DeepL
기술을 활용한
AI 번역

영어 번역의 혁신

편저자 류상민

ChatGPT: Optimizing Language Models for Dialogue

We've trained a model called ChatGPT which interacts in a conversational way. The dialogue format makes it possible for ChatGPT to answer followup questions, admit its mistakes, challenge incorrect premises, and reject inappropriate requests. ChatGPT is a sibling model to InstructGPT, ... instruction in ... response.

TRY CHATGPT ↗

papago

Google
Translate

챗 GPT, 구글번역, 파파고, DeepL 기술을 활용한

영어 번역의 혁신

발 행 | 2024 년 08 월 30 일

편저자 | 류상민(큐티랜드)

펴낸이 | 한건희

펴낸곳 | 주식회사 부크크

출판사등록 | 2014.07.15(제 2014-16 호)

주 소 | 서울시 금천구 가산디지털 1 로 119, SK 트윈타워 A 동 305 호

전 화 | 1670-8316

이메일 | info@bookk.co.kr

www.bookk.co.kr

ISBN | 979-11-419-0163-9

목 차

[편저자 소개]

특허법인 번역팀에서 한영 번역가로 근무하고 있습니다. 주로, 국내 대기업의 해외출원 특허 명세서를 번역하고 있습니다. 어떻게 하면 '보다 더 좋은 품질로 번역할 수 있을까?'를 늘 고민하고 적용하고 있습니다.

10년 넘게 번역가로 활동하면서, A4용지 3만 페이지 이상의 특허 명세서를 번역했고, 현재도 꾸준히 번역업무를 수행하고 있습니다.

수년전에는 번역업무를 수행하면서 습득한 경험과 노하우를 정리한 "영문 특허번역 가이드북 (넥서스)"을 출간했고, 근래에는 "기술영어 쓰기 가이드 (유페이퍼)", "산업기술 영어작문 핸드북 (클래스101)"을 전자책으로 출간했습니다.

[머리말]

특허문서 번역가로 일하면서, 구글번역, 파파고, 딥엘(DeepL)과 같은 번역기를 거의 매일 사용하고 있습니다. 각 번역기를 사용하다 보면, 번역 시간을 단축할 수 있고, 타이핑 시간을 줄일 수 있어서 만족하고 있습니다.

최근에는 번역기의 성능이 좋아져서 '이러다가 번역가 직업이 사라지는 것 아닐까?'라는 두려운 생각(?)이 들 때도 있지만, 동일한 국문에 대해 번역기가 제각기 다른 결과물을 내 놓는 경우가 대부분이기 때문에, 번역가는 어쩔 수 없이 "더 좋은" 결과물을 선택해야 하는 임무(?)를 수행해야합니다.

그런데, 최근에 "ChatGPT(챗GPT)"라는 대화형 인공지능(AI) 서비스가 등장하여, "더 좋은" 번역결과를 선택해야 하는 번역가의 임무와 부담이 줄어 들게 되었습니다. 다만, ChatGPT를 이용하기 위해서는 번역가가 ChatGPT에게 질문 또는 지시를 해야 하는, 즉 프롬프트(Prompt)를 입력해야 하는 수고를 해야 합니다.

ChatGPT 서비스가 시작된 이후에, 구글번역, 파파고, 딥엘(DeepL)의 번역 결과 중에서 "더 잘된" 번역을 확인하기 위해 ChatGPT를 이용하면서, 이와 관련된 자료가 꽤 축적되었습니다.

이와 같은 자료를 참고하면서, 번역업무를 수행하는 중에, '이 자료가 번역이 필요한 분들이나, 영어 학습을 하는 분들에게 나름 도움이 될 수 있겠다 싶어 공개합니다.

[고백: 머리말]

아래의 내용은 ChatGPT에게 아래와 같은 프롬프트를 통해 작성된 머리말임을 고백하며, 내용이 상당히 그럴 듯하고 참고할 만한 사항이 있어 공개합니다.

> *구글번역, 파파고, DeepL 번역기와 챗GPT를 이용한 한영번역을 잘 하는 방법을 가이드하는 전자책 만들 때, 대중적인 관심을 끌 수 있는 머리말을 써줘.*

> "한국어와 영어는 매우 다른 언어입니다. 문법, 어휘, 문화 등 모든 면에서 다른 점이 많기 때문에 정확하게 번역하기는 매우 어렵습니다.
>
> 하지만 이제는 인공지능 기술이 발전하면서, 구글번역, 파파고, DeepL 등 다양한 번역기가 등장하고 있습니다. 이러한 번역기들은 머신러닝과 딥러닝 기술을 이용하여 점차 더욱 정확해지고 있습니다. 그 중에서도 챗GPT는 최신 인공지능 모델로, 대용량의 텍스트 데이터를 학습하여 다양한 언어의 번역 능력을 갖추고 있습니다.
>
> 하지만 인공지능 번역기들도 완벽하지 않습니다. 때로는 번역 오류가 발생할 수도 있습니다. 그러므로 번역기를 사용할 때는 항상 자신의 판단과 검토가 필요합니다."

이 책은 구글번역, 파파고, DeepL 번역기와 챗GPT를 이용한 번역을 “잘 하는 것”이 아니라 “더 잘하는” 방법에 대해 알려줄 것입니다. 이를 통해 누구나 더 정확한 번역을 할 수 있게 되어, 글로벌 시대에 더욱 적극적으로 참여할 수 있을 것입니다.

1. TMI 피하기 (1): 간결한 것이 더 좋은 번역

(번역 대상)

패널은 기판의 접속 패드와 다른 접속 부재 없이 직접 연결될 수 있다.

일상생활에서도 말이 많으면, TMI(Too Much Information)가 되듯이, 영어 문장에서도 마찬가지입니다. 따라서, 가능한 간결하고 명확하게 표현하는 것이 좋습니다.

[ChatGPT 프롬프트]

- 아래 영문 중 어느 것이 더 적절한지 설명해 줘.

  (1) The panel may be directly connected to the connection pad of the substrate without any other connection member.
  (2) The panel may be directly connected to the connection pad of the substrate with no connection member.

[ChatGPT 응답]

두 문장 모두 거의 동일한 의미를 전달하지만, (2)번 문장이 더 자연스럽고 간결합니다.

(1)번 문장에서는 "without any other connection member"라는 긴 구문을 사용하여 "connection member"가 없이 직접 연결된다는 것을 강조하고 있습니다. 반면에 (2)번 문장은 "with no connection member"라는 간결한 구문으로 같은 내용을 전달합니다.

기술적인 글쓰기에서는 (2)번 문장과 같이 필수적인 정보를 불필요한 단어 없이 명확하고 간결하게 제시하는 것이 좋습니다. (1)번 문장과 같이 긴 구문을 사용하면, 혼란을 초래하거나 독자의 주의를 분산시킬 수 있습니다.

기술적인 글쓰기에서는 명확하고 직접적인 표현이 중요하기 때문에 간결한 언어 사용이 중요합니다. 따라서, (2)번 문장이 더 적절한 선택입니다.

2. TMI 피하기 (2): 간결한 것이 더 좋은 번역 / greater, larger 차이

(번역 대상)

경사각(a1)은 경사각(a2)보다 큰 값을 갖는다.

[ChatGPT 프롬프트]

- 아래 영문 중 더 적절한 거 설명해 줘.

  (1) The inclination angle a1 has a greater value than the inclination angle a2.

  (2) The inclination angle a1 has a larger value than the inclination angle a2.

  (3) The inclination angle a1 is greater than the inclination angle a2.

  (4) The inclination angle a1 is larger than the inclination angle a2.

[ChatGPT 응답]

(1), (2), (3), (4) 모두 비슷한 의미를 전달하지만, (3)번이 가장 적절합니다.

"greater"와 "larger"는 의미적으로 동일하지만, "greater"는 보통 숫자나 수량 등의 개념에 사용되며, "larger"는 크기나 부피 등 물리적인 개념에 주로 사용됩니다.

(3)번과 (4)번은 "greater"와 "larger" 대신 "is"를 사용하여 단순하고 명확하게 표현하고 있습니다. 반면에 (1)번과 (2)번은 문맥적으로 애매한 표현으로, 어떤 값을 비교하는지 명확하지 않을 수 있습니다. 따라서, (3)번 또는 (4)번 옵션이 가장 적절한 선택입니다.

3. 구글번역, 파파고, 딥엘(DeepL)의 번역에 대한 챗GPT의 평가

(번역 대상)

이것은 배터리 교체 시스템 및 그 방법에 관한 것이다.

패널층 및 소자 분리 영역들을 포함한 일부 구성요소가 생략되었다.

[ChatGPT 프롬프트]

- 아래 영어 문장 중 어느 것이 더 적절한지 설명해 줘.

  (1) This relates to a battery replacement system and method.

  (2) This relates to a battery replacement system and a method thereof.

  (3) This relates to a system and method for battery exchange.

[ChatGPT 응답]

세 문장은 비슷한 의미를 전달하고 있지만, 문장 구조와 사용된 용어에 따라 그 의미가 조금씩 다릅니다.

(1)번 문장은 "battery replacement system and method"라는 하나의 개념을 다루고 있습니다. 따라서 문장이 간결하면서도 명확하게 이 개념을 설명하고 있습니다.

(2)번 문장은 (1)번과 유사하게 "battery replacement system"과 "method thereof"라는 개념을 나누어 설명하고 있습니다. 이러한 구조는 두 가지 개념이 서로 별개인 것을 강조하고자 할 때 유용합니다.

(3)번 문장은 "battery exchange"라는 용어를 사용하여 문장의 구조를 단순화하고 있습니다. "replacement"보다는 "exchange"라는 용어가 더 포괄적이고 일반적인 표현이기 때문입니다. 이러한 구조는 제목이나 제품명 등에서 간결성이 요구되는 경우에 유용합니다.

따라서, 문장 선택은 문맥과 사용 목적에 따라 다를 수 있습니다. 보통은 (1)번 문장이 가장 일반적으로 사용되는 표현이며, (2)번 문장은 약간 더 구체적인 정보를 제공할 때 사용됩니다. (3)번 문장은 "battery exchange"를 사용하고자 하는 경우에 사용할 수 있습니다.

[ChatGPT 프롬프트]

- 아래 영어 문장 중 더 적절한 것이 어느 것인지 설명해 줘.

  (1) Some components including panel layers and device separation regions are omitted.

  (2) Some components, including panel layers and device separation regions, have been omitted.

  (3) Some components have been omitted, including panel layers and device separation regions.

[ChatGPT 응답]

위의 문장들은 모두 "일부 구성 요소가 생략되었다"는 내용을 전달하고 있지만, 미묘한 차이가 있습니다.

(1)번 문장은 생략된 구성 요소 중 일부를 구체적으로 명시하지 않고 있습니다.

(2)번 문장은 생략된 구성 요소들을 명확하게 언급하고 있으며, "have been"이라는 동사형태를 사용하여 생략된 구성 요소들이 이미 생략되었다는 것을 강조하고 있습니다.

(3)번 문장은 (2)번 문장과 구조가 유사하지만, "such as"나 "for example"와 같은 구문을 사용하여 생략된 구성 요소들 중 일부만 언급하고 있습니다.

위의 문장들 중 문맥과 목적에 가장 부합하는 문장은 (2)번 문장입니다. 이 문장은 생략된 구성 요소들을 명확하게 언급하면서도, 생략된 것이 이미 일어났음을 강조하고 있기 때문입니다. (3)번 문장도 생략된 구성 요소들 중 일부를 언급하면서도 간결하게 작성되었지만, "such as"나 "for example"과 같은 구문이 포함되어 있기 때문에 (2)번 문장보다는 조금 덜 강조되는 느낌이 있습니다. (1)번 문장은 구체적인 구성 요소들을 언급하지 않고 있기 때문에, 정보 전달 측면에서는 덜 명확합니다.

4. 다양한 질문에 대한 ChatGPT 응답 (정관사 유무 등)

(번역 대상)

나아가 전류 경로의 저항을 낮게 하여 저항 값을 낮출 수 있다.

[ChatGPT 프롬프트]

- 아래 영어 문장에서 더 적합한 것을 설명해 줘.

  (1) Furthermore, it is possible to lower the resistance value by lowering the resistance of the current path.

  (2) In addition, it is possible to lower the resistance value by lowering the resistance of the current path.

[ChatGPT 응답]

두 문장 모두 "저항 값"을 낮추는 방법에 대해 설명하고 있으며, 그 방법은 "전류 경로의 저항 감소"입니다.

하지만, "Furthermore"은 이미 언급된 이전 문장에 대한 추가 정보를 제공하는 것이기 때문에, (2)번 문장에서 "In addition"이 더 적합합니다. 따라서, (2)번 문장이 더 적절한 표현입니다.

[ChatGPT 프롬프트]

- 아래 영어 문장에서 더 적합한 것을 설명해 줘.

(1) It is possible to lower the resistance value by lowering the resistance of the current path.
(2) It is possible to lower the resistance value by lowering resistance of the current path.

[ChatGPT 응답]

두 문장의 차이는 "the"라는 정관사의 유무입니다. (1)번 문장에서는 "the resistance"라는 구체적인 저항값을 나타내는 것으로 보이며, (2)번 문장에서는 "resistance"라는 개념적인 의미를 갖습니다.

따라서, 문맥에 따라 다르겠지만 일반적으로는 (2)번 문장이 더 적절한 표현일 수 있습니다. "the"가 없는 경우, "저항"이라는 개념 자체에 집중하게 되며, 이는 보다 일반적이고 추상적인 개념이므로 더 넓은 의미를 전달할 수 있습니다. 하지만, 구체적인 저항값에 대해 이야기해야 하는 경우에는 "the resistance"와 같은 구체적인 용어를 사용해야 합니다.

[ChatGPT 프롬프트]

- 아래 영어 문장에서 더 적합한 것을 설명해 줘.

  (1) It is possible to lower the resistance value by lowering the resistance of the current path.
  (2) The resistance of the current path may be lowered to lower the resistance value.

[ChatGPT 응답]

두 문장 모두 의미적으로 동일하며, 문법적으로도 올바릅니다.

하지만, (1)번 문장은 "It is possible to lower the resistance value"라는 명제를 먼저 제시한 후, 이를 구체적으로 설명하는 방식으로 구성되어 있습니다.

(2)번 문장은 "the resistance of the current path may be lowered"라는 방법을 먼저 제시한 후, 이를 통해 저항 값을 낮출 수 있음을 설명하는 방식으로 구성되어 있습니다.

두 문장 모두 문맥에 따라 적절한 표현일 수 있으나, (1)번 문장은 더 명확하고 직관적인 표현으로 보입니다. 따라서, (1)번째 문장이 더 적합한 표현이 될 수 있습니다.

5. ChatGPT와 기타 번역기의 번역 차이: ChatGPT의 자기자랑?

(번역 대상)

기판 상에, 제1 분리 영역과 제2 분리 영역 사이에 배치되는 제3 분리 영역

[ChatGPT 프롬프트]

- 아래 문장 영작해 줘.

  기판 상에, 제1 분리 영역과 제2 분리 영역 사이에 배치되는 제3 분리 영역

[ChatGPT 응답]

A third separation region disposed on the substrate between the first separation region and the second separation region.

[ChatGPT 프롬프트]

- 아래 영어 문장 중 어느 것이 더 적절한지 설명해 줘.

  (1) A third separation region disposed on the substrate between the first separation region and the second separation region.

  (2) A third separation region disposed between the first separation region and the second separation region, on the substrate.

[ChatGPT 응답]

두 문장 모두 문법적으로는 올바르지만, 문장의 구성에는 미묘한 차이가 있습니다.

(1)번 문장은 "on the substrate"이라는 전치사구가 "disposed"에 수반되어 붙어 있습니다. 이로 인해, "제3 분리 영역"이 "제1 분리 영역"과 "제2 분리 영역" 사이에 배치된다는 사실이 강조되어, 해당 문장이 의미 전달에 있어서 더 강력한 표현이 됩니다.

반면에 (2)번 문장은 "on the substrate "가 "between the first separation region and the second separation region" 다음에 위치하여, 덜 강조됩니다. 이 문장은 더 자연스럽게 읽히고 쉽게 이해할 수 있으며, 필요한 정보를 제공하지만 (1)번 문장만큼 강한 강조를 주지는 않습니다.

따라서, 두 문장 모두 문맥에 따라 적절하게 사용될 수 있지만, "제3 분리 영역"의 위치를 강조하려면 (1)번 문장을 사용하는 것이 좋습니다.

6. 영어 문장의 문법 체크, 및 수정(revise) 또는 교정(proofread)

(번역 대상)

도면에 도시된 바와 달리, 플로팅 영역은 제2 플로팅 영역만 포함할 수 있다.

[ChatGPT 프롬프트]

- 아래 영어 문장 문법적으로 적절한지 설명해 줘.

  Unlike shown in the drawing, the floating region may include only the second floating region.
- 위의 영문을 수정 또는 교정해 줘.

[ChatGPT 응답]

이 문장은 문법적으로 적절합니다.

"Unlike"는 전치사로 쓰여 "도면에 나타난 것과 달리"를 나타내고 있습니다. "the floating region may include only the second floating region" 부분은 "floating region"가 "only the second floating region"를 포함할 수 있다는 가능성을 나타내고 있으며, 이 부분은 조동사 "may"를 사용하여 추측, 가능성을 나타내고 있습니다.

전체적으로 이 문장은 "도면에 나타난 것과는 다르게, floating region는 오직 the second floating region 만을 포함할 수 있다"는 의미를 가지고 있습니다.

[ChatGPT 프롬프트]

- 아래 영문을 수정 또는 교정해 줘. 그 이유도 설명해 줘.

  Unlike shown in the drawing, the floating region may include only the second floating region.

[ChatGPT 응답]

다음과 같이 문장을 수정하면 더욱 자연스러워집니다:

- The floating region may include only the second floating region, unlike what is shown in the drawing.

수정된 문장에서는 "unlike what is shown in the drawing"이라는 구문이 뒤에 위치하도록 수정하였습니다. 이렇게 수정하면, 문장의 주어인 "the floating region"과 "what is shown in the drawing"이 더욱 분명하게 대응될 수 있으며, 읽는 사람이 더욱 쉽게 이해할 수 있게 됩니다.

또한, 원래 문장에서는 "Unlike shown in the drawing"이라는 문장이 문법적으로 부적절한 구문입니다. 이를 수정함으로써 문장의 명확성과 일관성을 높일 수 있습니다.

7. 보다 구체적이고 명확한 표현 방법

(번역 대상)

기판의 제1 영역에, 콜렉터와 이미터 사이에 배치되고, 제1 방향으로 연장되는 절연층

[ChatGPT 프롬프트]

- 아래 영어 문장 중 어느 것이 더 적절한지 설명해 줘.

  (1) An insulating layer that is disposed in the first region of the substrate between the collector and the emitter and extends in the first direction.
  (2) An insulating layer disposed in the first region of the substrate between the collector and the emitter and extending in the first direction.

[ChatGPT 응답]

두 문장은 구조적으로는 거의 동일합니다. 그러나 (2)번 문장이 더 구체적이고 명확한 표현입니다.

(1)번 문장에서는 "that is disposed"라는 구문이 사용되어 "insulating layer"와 "extends" 사이에 삽입되어 있습니다. 이는 문장의 구조가 약간 복잡하게 만들어 읽기 어려울 수 있습니다. 반면에, (2)번 문장에서는 "disposed"와 "extending"이 바로 뒤따라 나와서 문장의 간결성과 명확성을 유지합니다.

또한, (2)번 문장에서는 "An insulating layer disposed in the first region of the substrate"라는 구문이 "between the collector and the emitter and extending in the first direction"라는 추가적인 정보와 함께 나오므로, 더욱 구체적이고 명확한 표현입니다.

따라서, (2)번 문장이 더 구체적이고 명확한 표현으로 평가됩니다.

8. 전치사(to, with)에 따라 미묘한 차이: coupled to, coupled with 차이

(번역 대상)

구동부재는 기판과 결합된다.

[ChatGPT 프롬프트]

- 아래 영문 중 더 적절한 거 설명해 줘.

  (1) The driving member is coupled to the substrate.

  (2) The driving member is coupled with the substrate.

- coupled to, coupled with 각각의 영문 예문을 3개씩 알려줘

[ChatGPT 응답]

두 문장 모두 유사한 의미를 가지고 있으나, "coupled to"가 더 적절한 표현입니다. "coupled to"는 두 개체가 서로 연결되어 있다는 것을 나타내며, 이 경우 "driving member"과 "substrate"이 연결되어 있다는 것을 나타냅니다.

"coupled with"는 두 개체가 함께 사용되거나 함께 연결되어 있는 것을 나타내는데, 이 경우에는 둘 사이의 연결이 강조되는 것보다는 두 개체가 서로 관련되어 있다는 것이 강조되는 경우에 사용됩니다.

따라서, "coupled to"가 더 적절한 표현입니다.

[coupled to 예문]

- The motor is coupled to the gearbox for optimal power transmission.
- The generator is coupled to the turbine to convert mechanical energy into electrical energy.
- The CPU is coupled to the motherboard for data processing and communication.

[coupled with 예문]

- His success is coupled with his hard work and dedication to his craft.
- The new technology is coupled with innovative design for a better user experience.
- Her expertise in marketing is coupled with her knowledge of the industry for effective campaigns.

9. "명사+명사" "형용사+명사" 어느 것이 더 적합한가?

(번역 대상)

제어기는 공진 주파수를 생성할 수 있다. / 제어기는 절연층을 제공할 수 있다.

[ChatGPT 프롬프트]

- 아래 영어 문장 중 어느 것이 더 적합한지 알려 줘.

  (1) The controller may generate a resonance frequency.

  (2) The controller may generate a resonant frequency.

  (3) The controller may provide an insulation layer.

  (4) The controller may provide an insulating layer.

[ChatGPT 응답]

"(2) The controller may generate a resonant frequency."이 더 적합합니다. "resonant frequency"는 시스템이 공진하는 주파수를 나타내는 용어입니다. "resonance frequency"는 이와 유사하지만 덜 정확한 용어이며, 일반적으로 물리학적 시스템에서 발생하는 주파수를 나타냅니다.

"(4) The controller may provide an insulating layer."이 더 적합합니다. "insulation layer"는 일반적으로 "Insulating layer"보다 덜 사용되는 용어입니다. "insulating layer"는 더 널리 사용되며, 이 용어가 좀 더 표준적인 표현입니다. 따라서, "resonant frequency"와 " insulating layer"가 이 문장에서 더 적합합니다.

10. "왼쪽에 위치하다"에서 전치사 at, to 중에 더 적합한 것은?

(번역 대상)

경계부는 제1 방향을 따라 활성 영역의 좌측에 배치될 수 있다.

[ChatGPT 프롬프트]

- 아래 영문 중 더 적절한 거 설명해 줘. 그 이유도 설명해 줘.

  (1) The boundary portion may be disposed at the left of the active region along a first direction.

  (2) The boundary portion may be disposed to the left of the active region of the resonant portion along a first direction.

[ChatGPT 응답]

두 문장 모두 거의 동일하지만, 더욱 자연스러운 문장을 선택해야 한다면, "(2) The boundary portion may be disposed to the left of the active region of the resonant portion along a first direction."가 더 적절합니다.

"disposed to the left"는 "disposed at the left"와 동일한 의미를 가지며, 더욱 간결하고 자연스러운 문장입니다. "disposed at the left"는 "위치가 왼쪽에 있는"이라는 뜻으로 명확하게 표현하지만, "disposed to the left"는 더 일상적인 표현으로 "왼쪽에 위치해 있다"라는 의미를 전달합니다. 또한, "disposed to the left"는 구어체에 더 가깝기 때문에 더욱 자연스러운 문장으로 느껴질 수 있습니다.

11. 콤마(,)의 사용에 따른 느낌 차이

(번역 대상)

- *기판은 패널과 절연층 사이에 배치되고, 절연층과 접할 수 있다.*
- *하부 전극은 하부 층과 접촉하고, 하부 층과 전기적으로 연결될 수 있다.*
- *플로팅 영역 상에, 제1, 2 분리 영역 사이에 배치되는 제3 분리 영역*

[ChatGPT 프롬프트]

- 아래 영어 문장 중 더 적절한 것을 설명해 줘.

  (1) The substrate may be disposed between the panel and the insulating layer and may contact the insulating layer.

  (2) The substrate may be disposed between the panel and the insulating layer, and may contact the insulating layer.

[ChatGPT 응답]

두 문장의 차이점은 "콤마"의 유무입니다. 둘 다 문법적으로는 정확하지만, 일반적으로는 두 문장 중에서 더 적절한 것은 (2)번 문장입니다. 이유는 "콤마"가 있는 경우 두 구문이 더 구분되어 있고, 문장을 읽기 쉽고 명확하게 만들기 때문입니다.

문장 (1)에서는 "콤마" 없이 문장이 이어지는 것으로 보아, 일부 독자들이 "contact the insulating layer"가 "disposed between the panel and the insulating layer"와 관련이 없을 수도 있습니다. 따라서 (2)번 문장이 더 적절합니다.

결론적으로, 문장을 더 이해하기 쉽고 명확하게 만들기 위해 두 구절 사이에 "콤마"를 추가하는 것이 좋습니다.

[ChatGPT 프롬프트]

- 아래 영문에서 더 적절한 거 알려 줘.

  (1) The lower electrode may contact the lower layer and be electrically connected to the lower layer.
  (2) The lower electrode may contact the lower layer, and be electrically connected to the lower layer.

[ChatGPT 응답]

두 문장 모두 문법적으로는 맞지만, 일관성 있는 문장 구성을 위해 (1)번 문장이 더 적절합니다.

The lower electrode may contact the lower layer and be electrically connected to the lower layer.
위 문장에서는 "contact"와 "be electrically connected"가 병렬적으로 나열되어 있기 때문에, 두 동사 간의 연결이 더 자연스럽게 느껴집니다.

The lower electrode may contact the lower layer, and be electrically connected to the lower layer.
위 문장에서는 "contact"와 "be electrically connected" 사이에 "콤마"가 있어서 문장이 두 부분으로 나뉘어져 있습니다. 따라서, (1)번 문장에 비해 두 동사 간의 연결이 약간 떨어지는 느낌을 줄 수 있습니다.

[ChatGPT 프롬프트]

- 아래 영어 문장 중 어는 것이 더 적절한지 설명해 줘.

  (1) a third separation region disposed between the first separation region and the second separation region, on the floating region.

  (2) a third separation region disposed between the first separation region and the second separation region on the floating region.

[ChatGPT 응답]

두 문장 모두 문법적으로 올바르지만, 두 번째 문장이 더 적절합니다.

(1)번 문장에서는 콤마로 구분된 부가적인 구절로 보이지만, 문장의 주요 부분인 "a third separation region on the floating region"이 불완전합니다. 따라서 (2)번 문장과 같이, "on the floating region"이라는 구절이 "between the first separation region and the second separation region"이라는 구절과 함께 동사 "disposed"의 목적어가 되어야 합니다. 이렇게 구성된 (2)번 문장이 더 분명하고 명확한 의미를 전달합니다.

12. 중복 문구 that로 대체: 바람직한가?

(번역 대상)

제1 전극의 n형 불순물 농도는, 제2 전극의 n형 불순물 농도보다 높을 수 있다.

[ChatGPT 프롬프트]

- 아래 영어 문장 중 어는 것이 더 적절한지 설명해 줘.

  (1) The n-type impurity concentration of the first electrode may be higher than the n-type impurity concentration of the second electrode.
  (2) The n-type impurity concentration of the first electrode may be higher than that of the second electrode.

[ChatGPT 응답]

두 문장 모두 의미적으로 동일하게 들리지만, 문법적인 관점에서 봤을 때, (2)번 문장이 더 적절합니다.

(1)번 문장에서는 "n-type impurity concentration"이라는 구체적인 단어가 문장 안에서 두 번 사용되고 있습니다. 이러한 경우, 독자는 문장을 이해하기 위해 중복된 정보를 반복해서 파악해야 하므로, 읽는 데 어려움을 겪을 수 있습니다. 또한, 이는 문장의 구성이 불필요하게 복잡해지게 만들어 가독성을 낮출 수 있습니다.

(2)번 문장에서는 "that"을 사용하여 "n-type impurity concentration"이라는 구체적인 단어를 대체하고 있습니다. 이러한 경우, 독자는 문장을 이해하기 위해 반복적으로

동일한 정보를 파악할 필요가 없으므로, 읽는 데 불필요한 집중력을 사용하지 않아도 됩니다. 또한, 문장이 간결해지기 때문에 가독성이 높아질 수 있습니다.

따라서 (2)번 문장이 더 구체적인 단어를 대체하여 가독성과 이해도를 높이는 효과가 있습니다.

13. 단수, 복수, 무관사의 미묘한 차이

(번역 대상)

동일한 구성 요소에 대한 구체적인 설명은 생략한다.

[ChatGPT 프롬프트]

- 아래 영어 문장 중 더 적절한 거 설명해 줘.

  (1) A detailed description of the same constituent elements will be omitted.

  (2) Detailed description of the same constituent elements will be omitted.

  (3) Detailed descriptions of the same constituent elements will be omitted.

[ChatGPT 응답]

세 문장 모두 같은 의미를 가지고 있지만, 미묘한 차이가 있습니다.

"(1) A detailed description of the same constituent elements will be omitted."
이 문장은 특정한 상황에서 이전에 언급된 구성 요소에 대한 자세한 설명이 생략될 것임을 나타냅니다. "A"라는 관사가 있어서 이전에 해당 구성 요소에 대한 설명이 없었을 수도 있다는 가능성을 남겨둡니다.

"(2) Detailed description of the same constituent elements will be omitted."
이 문장은 이전에 언급된 구성 요소에 대한 자세한 설명이 생략될 것임을 나타냅니다. "A"라는 관사가 없기 때문에, 이전에 해당 구성 요소에 대한 설명이 이미 있었을 가능성이 높습니다.

"(3) Detailed descriptions of the same constituent elements will be omitted."
이 문장은 이전에 언급된 구성 요소에 대한 자세한 설명들이 생략될 것임을 나타냅니다. "descriptions"라는 복수형 명사가 사용되어 있어서, 이전에 해당 구성 요소에 대한 여러 가지 설명들이 있을 가능성이 있습니다.

따라서, 어떤 문장이 더 적절한지는 문맥에 따라 다를 수 있습니다. 그러나 일반적으로는 2번째 문장이 가장 자연스러운 표현입니다.

14. 전치사의 적절한 선택 (at / on)

(번역 대상)

제1 전극의 끝 부분에 위치하는 제1 확장부

[ChatGPT 프롬프트]

- 아래 영어 문장 중 어느 것이 더 적합한지 설명해 줘.

  (1) a first extension disposed at an end of the first electrode

  (2) a first extension disposed on an end of the first electrode

[ChatGPT 응답]

두 문장 모두 '첫 번째 전극의 끝에 위치한 첫 번째 연장'을 의미하며, 구조적으로 큰 차이는 없지만, 사용하는 전치사의 차이로 의미가 약간 다릅니다.

(1)번 문장에서 "disposed at an end"는 첫 번째 전극의 끝에 배치되었다는 뜻으로, 연장이 전극의 끝 부분에 붙어있지만, 반드시 끝 부분에 닿아있지는 않습니다.

반면에, (2)번 문장에서 "disposed on an end"는 첫 번째 전극의 끝에 위치해 있다는 것을 의미하며, 연장이 전극의 끝 부분에 붙어 있음을 더 강조합니다. 따라서, 2번 문장이 보다 정확한 표현이 될 수 있습니다.

15. “능동태/수동태, in which/where”의 미묘한 차이

(번역 대상)

- *밀도가 변화하는 영역이 추가될 수 있다.*
- *밀도가 변화하는 영역에서 음향 임피던스가 변화될 수 있다.*

[ChatGPT 프롬프트]

- 아래 영어 문장 중 더 적합한 것을 설명해 줘.

  (1) A region in which a layer density changes may be added.

  (2) A region in which a layer density is changed may be added.

[ChatGPT 응답]

두 문장은 "층 밀도가 변경되는 영역이 추가될 수 있다"는 의미로 거의 동일합니다. 그러나 미묘한 차이가 있습니다.

(1)번 문장에서 "a layer density changes"는 '층 밀도가 변화하는 것'을 나타냅니다. 따라서, 이 문장은 '변화하는 층 밀도'의 범위를 가리키고, 층 밀도의 어느 부분이 변화하는 지는 명확하지 않습니다.

(2)번 문장에서 "a layer density is changed"는 '층 밀도가 변경된 것'을 나타냅니다. 따라서, 이 문장은 '층 밀도가 변경된' 특정 지점을 가리킵니다. 따라서, 2번 문장이 더 정확한 표현이 될 수 있습니다.

[ChatGPT 프롬프트]

- 아래 영어 문장 중 더 적합한 것을 설명해 줘.

  (1) Acoustic impedance may be changed in the region in which the layer density changes.

  (2) Acoustic impedance may be changed in the region in which the layer density is changed.

  (3) Acoustic impedance may be changed in the region where the layer density is changed.

[ChatGPT 응답]

세 문장 모두 문법적으로 올바르게 작성되었으며, 거의 동일한 의미를 가지고 있습니다.

(1)번 문장은 "changes"가 "is changed"로 수정되어야 합니다. 따라서 (2)번 문장과 (3)번 문장 중에서 선택해야 합니다.

(2)번 문장에서 "the layer density is changed"는 '층 밀도가 변경된' 특정 영역을 가리키며, 해당 영역에서 음향 임피던스가 변경될 수 있다는 것을 나타냅니다.

(3)번 문장에서 "where the layer density is changed"는 '층 밀도가 변경되는' 영역을 나타내며, 음향 임피던스가 해당 영역에서 변경될 수 있다는 것을 나타냅니다.

따라서, 두 문장은 거의 동일한 의미를 전달하지만, (2)번 문장이 더 자연스러운 표현을 가지고 있으므로, (2)번 문장이 더 적합한 표현입니다.

16. "it is possible to+동사"의 사용

(번역 대상)

따라서, 공진 에너지가 측면파에 의해 외곽으로 전파되는 것을 방지할 수 있다.

[ChatGPT 프롬프트]

- 아래 영어 문장 중 어느 것이 더 적합한지 설명해 줘.

  (1) Accordingly, it is possible to prevent the resonance energy from being propagated to the outside by the lateral wave.

  (2) Accordingly, the resonance energy may be prevented from being propagated to the outside by the lateral wave.

[ChatGPT 응답]

두 문장 모두 올바른 문법을 갖고 있지만, 문맥에 따라 더 적합한 문장이 달라질 수 있습니다.

만약 두 문장이 이전 문장이나 상황에 대한 결과를 설명하는 문장으로 사용된다면, 더 적합한 문장은 (1)번 문장입니다. "possible to"는 그 결과가 가능하다는 것을 나타내며, 이 문장에서는 "측면파(lateral wave)로 외부로 전파되는 공진 에너지(resonance energy)를 막는 것이 가능하다"는 뜻입니다.

반면, 두 문장이 가능성이나 추측을 나타내는 문장으로 사용된다면, (2)번 문장이 더 적합합니다. "may"는 그 결과가 가능하다는 것을 나타내지만, 그 결과가 확실하지 않다는 것을 암시합니다. 이 경우에는 "측면파로 외부로 전파되는 공진 에너지를 막을 수도 있다"는 뜻입니다.

따라서 문맥에 따라 (1)번과 (2)번 중 어느 문장이 더 적합한지 결정됩니다.

17. "접속사(and)", "to 부정사 결과적 용법" 어느 것이 더 적합한가?

(번역 대상)

이미터 전극은, 이미터 상에 배치되어, 이미터와 연결될 수 있다.

[ChatGPT 프롬프트]

- 아래 영문 중 어느 것이 더 적합한지 설명해 줘.

  (1) The emitter electrode may be disposed on the emitter and connected to the emitter.

  (2) The emitter electrode may be disposed on the emitter to be connected to the emitter.

[ChatGPT 응답]

두 문장은 의미가 거의 같기 때문에, 어떤 것이 더 적합한지 결정하기 위해서는 문맥과 사용하는 상황에 따라 다를 수 있습니다.

하지만 미세한 차이점을 비교해보자면, "and connected to the emitter"과 "to be connected to the emitter"이라는 구문의 차이가 있습니다.

(1)번 문장에서 "and connected to the emitter"은 emitter electrode가 emitter에 부착되어 있고, 이와 동시에 emitter에 연결되어 있다는 것을 나타냅니다. 이는 강조하고자 하는 점이지만, 문장이 길어져서 가독성이 떨어질 수 있습니다.

(2)번 문장에서는 "to be connected to the emitter"으로, emitter electrode가 emitter에 부착되어 있으며, 나중에 emitter에 연결될 것이라는 것을 강조합니다. 이것은 보다 간결하게 표현된 것입니다.

따라서, 문장의 목적이 강조하는 것이라면 첫 번째 문장이 더 적합할 수 있습니다. 그러나 문장을 간결하게 유지하고자 한다면 두 번째 문장이 더 적합할 수 있습니다.

참고로, "to be connected to the emitter"에서 "to be connected"는 부정사(to-infinitive)를 결과적 용법으로 사용한 것입니다. 이것은 "in order to be connected" 또는 "for the purpose of being connected"와 같은 의미입니다.

결과적 용법의 부정사는 행위의 결과나 목적을 나타내는데 사용됩니다. 이때, 부정사 앞에는 주로 to, in order to, so as to 등의 전치사가 사용됩니다.

18. 더 간결하고 명확하게: be in contact with ~ / contact ~

(번역 대상 영문)

절연층은 콜렉터, 이미터 및 베이스 각각의 상면의 일부와 직접 접할 수 있다.

[ChatGPT 프롬프트]

- 아래 영문 중 어는 것이 더 적절한지 설명해 줘.

  (1) The insulating layer may be in direct contact with a portion of the upper surface of each of the collector, the emitter, and the base.

  (2) The insulating layer may directly contact a portion of the upper surface of each of the collector, the emitter, and the base.

[ChatGPT 응답]

두 문장 모두 의미상 큰 차이는 없지만, 두 번째 문장이 미세한 차이가 있어 더 적합합니다.

"in direct contact with"는 문맥상 이미 "directly contact"를 의미하는 것으로 명확하게 이해할 수 있지만, "directly contact"는 더 간결하고 명확한 표현입니다. 따라서, 두 번째 문장이 더 적절한 문장 구조를 갖고 있습니다.

19. 보다 명확한 표현을 원한다면, 어디에 걸리는지 분명하게

(번역 대상)

절연층은 분리층들 및 플로팅 영역 각각의 상면을 덮을 수 있다.

[ChatGPT 프롬프트]

- 아래 영문 중에서 어느 것이 더 적절한지 설명해 줘.

  (1) The insulating layer may cover upper surfaces of each of the separation layers and the floating region.

  (2) The insulating layer may cover an upper surface of each of the separation layers and of the floating region.

  (3) The insulating layer may cover an upper surface of each of the separation layers and the floating region.

[ChatGPT 응답]

1번과 3번 문장은 의미적으로 큰 차이가 없으며, 모두 목적을 잘 전달하고 있습니다. 그러나 2번 문장은 "an"이 붙어 각 층과 영역을 각각 다룬다는 뉘앙스를 더욱 명확히 나타내고 있습니다.

따라서 2번 문장이 가장 명확하고 간결한 문장 구조를 갖고 있으므로, 가장 적절한 문장 구조입니다.

20. 분수 표현의 적절한 번역

(번역 대상)

기준 전압은 클록 신호 주기의 1/2 보다 작을 수 있다.

위 문장을 번역기로 번역했습니다. 분수 표현을 번역기마다 다르게 표현하고 있어서, 어느 표현이 더 적절한지 ChatGPT에 물어보았습니다.

[ChatGPT 프롬프트]

- 아래 영문 중 더 적절한 거 설명해 줘.

  (1) The reference voltage may be smaller than half the period of the clock signal.
  (2) The reference voltage may be smaller than half the cycle of the clock signal.
  (3) The reference voltage may be smaller than 1/2 period of the clock signal.

[ChatGPT 응답]

(1) The reference voltage may be smaller than half the period of the clock signal.
=> 이 문장이 가장 적절합니다. "period"는 한 주기를 의미하며, "half the period"는 클록 신호의 1/2주기를 의미합니다. 따라서 문장이 명확하게 표현되며, 기술적 용어를 정확하게 사용하고 있습니다.

(2) The reference voltage may be smaller than half the cycle of the clock signal.

=> 이 문장은 "cycle"이라는 용어를 사용하고 있습니다. 일반적으로 "cycle"은 전기적 신호가 한 번 완료되는 것을 의미하며, "period"와 동의어로 사용될 수 있습니다. 그러나 이 경우에는 "half the cycle"이 아니라 "half the period"로 표현되어야 합니다.

(3) The reference voltage may be smaller than 1/2 period of the clock signal.
=> 이 문장도 또한 "period"를 사용하고 있습니다. 하지만 이 경우에는 "1/2 period"가 아닌 "half the period"로 표현되어야 합니다.

21. 각각 (each)의 위치에 따라 명품 번역이 된다?

(번역 대상)

연결 패드와 연결 부재는 각각 구리, 니켈, 납 및 이들의 합금 중 적어도 하나를 포함할 수 있다.

"각각"의 뜻으로 사용되는 each는 그 위치에 따라 의미는 동일하지만, 더 자연스럽고 명확한 문장 구조를 갖게 할 수 있습니다. 즉, 이들의 위치에 따라 번역을 더 세련되게 할 수 있습니다.

[ChatGPT 프롬프트]

- 아래 영문 중 더 적절한 거 설명해 줘.

  (1) The connection pad and the connection member may <u>each</u> include at least one of copper, nickel, lead, and an alloy thereof.

  (2) <u>Each</u> of the connection pad and the connection member may include at least one of of copper, nickel, lead, and an alloy thereof.

[ChatGPT 응답]

두 영문 문장 모두 거의 동일한 의미를 가지고 있지만, (2)번 문장이 더 자연스러운 문장 구조를 가지고 있다고 할 수 있습니다.

(1)번 문장에서는 "the connection pad"와 "the connection member"라는 용어가 각각

사용되는 반면, 두 번째 문장에서는 "each"를 사용하여 두 항목이 개별적으로 해당 내용을 포함하는 것을 명시하고 있습니다. 따라서 (2)번 문장이 더 간결하고 명확한 문장 구조를 가지고 있다고 할 수 있습니다.

따라서 "Each of the connection pad and the connection member may include at least one of copper, nickel, lead, and an alloy thereof."가 더 자연스럽고 명확한 문장 구조를 가지고 있다고 할 수 있습니다.

22. “구부러진, 휘어진, 굽은”에 더 적절한 단어: bent, curved 차이

[ChatGPT 프롬프트]

- "bent"와 "curved"의 차이를 알려줘.
- 각 단어의 예문을 3개씩 알려줘.

[ChatGPT 응답]

"bent"와 "curved"는 모두 직선이 아닌 것을 묘사하는 데 사용되는 단어입니다. 하지만 그 의미에는 약간의 차이가 있습니다.

"bent"는 일반적으로 무언가가 원래의 직선적인 형태에서 구부러지거나 굽어지는 것을 나타내며, 이로 인해 더 이상 완전히 직선이 아니게 됩니다. 예를 들어, "The paperclip was bent out of shape"라고 말할 수 있습니다.

반면에, "curved"는 무언가가 처음부터 곡선적인 형태를 가지고 있거나, 조금씩 굽어지거나 구부러지는 것을 나타냅니다. 이는 곡선이 완전하게 반원이나 호 형태를 띄고 있거나, 여러 각도로 구부러져 있을 수 있습니다. 예를 들어, "The road curved gently to the left"라고 말할 수 있습니다.

따라서, "bent"는 곡선 형태가 원래의 직선적인 형태에서 벗어난 것을 나타내며, "curved"는 무언가가 처음부터 곡선 형태를 가지거나 조금씩 굽어지거나 구부러진 것을 나타냅니다.

[bent 예문]

- The metal bar was bent out of shape after being hit by the hammer.
- She bent down to tie her shoelaces.
- The tree branches were bent under the weight of the heavy snow.

[curved 예문]

- The road ahead curved sharply to the right.
- The curved surface of the mirror distorted the reflection.
- The bridge's curved design made it a work of art.

23. "상태"에 더 적절한 단어: state, status 차이

[ChatGPT 프롬프트]

- "state"와 "status"의 차이점을 알려 줘.
- "state"와 "status"의 기술 공학적인 측면에서 차이점을 알려 줘, 그리고 각각의 영어 예문을 3개씩 알려 줘.

[ChatGPT 응답]

1. "state"와 "status"는 비슷한 의미를 가지고 있지만, 다음과 같은 차이가 있습니다:
   - 의미: "state"는 주로 상태, 상황, 조건, 상태 변화 등을 나타내는데 사용되며, "status"는 주로 지위, 신분, 사회적 지위 등을 나타내는데 사용됩니다.
   - 범위: "state"는 일반적으로 더 넓은 범위를 가지며, 다양한 의미로 사용됩니다. 반면에 "status"는 더 구체적이며 한정적인 의미를 가집니다.
   - 문맥: "state"는 일반적으로 물리적 또는 정신적인 상태를 나타내는 데 사용됩니다. 반면에 "status"는 일반적으로 사회적인 상태 또는 지위를 나타내는 데 사용됩니다. 예를 들어, "What is the state of the economy?"는 "경제의 상태는 어떤가요?"라는 의미이며, "What is your marital status?"는 "결혼 여부는 어떤가요?"라는 의미입니다.

2. "state"와 "status"는 모두 컴퓨터 공학 및 소프트웨어 개발 분야에서 자주 사용되는 용어입니다. 그러나 두 용어는 약간의 차이가 있습니다.

- "state"는 시스템, 프로그램, 객체 또는 프로세스가 현재 어떤 상태에 있는지를 나타냅니다. 이는 보통 변수나 속성을 통해 나타내어지며, 주로 정적인 정보를 의미합니다.
- "status"는 "state"와 유사하지만, 더욱 동적인 상태를 나타냅니다. 보통 어떤 프로세스나 작업이 완료되었는지 또는 진행 중인지를 나타내는 데 사용됩니다.
- 예를 들어, "state"는 "메모리 사용량"과 같은 것을 나타낼 수 있으며, "status"는 "파일 다운로드가 진행 중입니다."와 같은 것을 나타낼 수 있습니다.
- 따라서, "state"는 시스템, 프로그램, 객체 또는 프로세스의 정적인 상태를 나타내는 데 사용되고, "status"는 동적인 상태를 나타내는 데 사용됩니다.
- 아래는 "state"와 "status"의 각각에 대한 3가지 예문입니다.

[state 예문]

- The current state of the network connection is disconnected.
- The system's state is currently in standby mode.
- The state of the user's account is active.

[status 예문]

- The download status is at 50 %.
- The installation status of the software is complete.
- The backup status of the system is in progress.

24. “뒤쪽”에 더 적절한 단어: back, rear 차이

[ChatGPT 프롬프트]

- "back"와 "rear"의 차이점을 알려줘, 그리고 반도체 공학과 관련한 예문을 3개씩 알려 줘.

[ChatGPT 응답]

"back"과 "rear" 모두 "뒤쪽"을 나타내는 단어입니다. 하지만 조금 다른 뉘앙스를 가지고 있습니다.

"back"은 일반적으로 명사나 형용사로 사용되며, 무엇이나 누군가의 뒤쪽을 나타냅니다. 예를 들어, "I sat in the back of the car"는 "나는 차의 뒷좌석에 앉았다"는 의미입니다. 또 다른 예로, "She has a pain in her back"은 "그녀는 등이 아픕니다"라는 의미입니다.

반면에 "rear"는 보통 명사, 형용사로 사용되며, "back"보다는 더 구체적인 의미를 가지고 있습니다. "rear"는 무엇인가의 뒷쪽을 뜻하면서도, 그것이 차나 건물 같은 구체적인 대상일 때 더 자주 사용됩니다. 예를 들어, "I parked my car in the rear of the building"은 "나는 건물 뒷면에 차를 주차했다"는 의미입니다.

따라서 "back"은 더 일반적인 뒤쪽을 나타내는 단어이고, "rear"는 더 구체적인 대상의 뒷쪽을 나타내는 단어입니다.

아래는 "back"과 "rear"를 반도체 공학 분야에서 사용된 예문 3개씩입니다.

[back 예문]

- The back of the wafer was coated with a layer of photoresist. (웨이퍼의 뒷면에 광감도성 재료의 층이 코팅되었다.)
- The transistor is disposed towards the back of the integrated circuit. (트랜지스터는 집적 회로의 뒷쪽에 위치한다.)
- We deposited metal on the backside of the wafer to create a contact pad. (접촉 패드를 만들기 위해 웨이퍼의 뒷면에 금속을 증착했다.)

[rear 예문]

- The rear side of the substrate was etched to form a via hole. (기판의 후면이 에칭되어 비아홀이 형성되었다.)
- The laser was directed at the rear surface of the wafer. (레이저는 웨이퍼의 후면 표면으로 조준되었다.)
- We added a rear contact to improve the efficiency of the solar cell. (태양 전지의 효율을 높이기 위해 후면 접촉을 추가했다.)

25. “분리, 격리”에 더 적절한 단어: isolation, separation 차이

[ChatGPT 프롬프트]

- "Isolation"과 "separation"의 차이점을 알려줘.
- 이 두 단어가 반도체 공정 분야에서 사용될 때 차이점을 알려 줘.두 단어의 예문을 3개씩 알려줘.

[ChatGPT 응답]

"isolation"과 "separation"은 비슷한 의미를 가진 단어지만, 사용되는 맥락에 따라 차이가 있을 수 있습니다.

"isolation"은 보통 한 사람이나 그룹이 다른 사람이나 그룹과 격리되어 있다는 것을 의미합니다. 이는 자연적인 원인(예: 병에 걸린 사람의 격리)이나 인위적인 원인(예: 감옥에서의 감금)에 의해 발생할 수 있습니다. "isolation"은 일반적으로 부정적인 의미로 사용되며, 고독하고 외로움을 느끼는 것과 관련이 있을 수 있습니다.

반면, "separation"은 두 가지 물체, 개념, 사람 또는 그룹이 서로 떨어져 있거나 분리되어 있다는 것을 나타냅니다. "separation"은 일반적으로 중립적인 의미로 사용되며, 일시적이거나 영구적일 수 있습니다. 예를 들어 부부가 이혼하여 분리되었다는 것은 "separation"이며, 일시적인 결별이 될 수도, 영구적인 이별이 될 수도 있습니다.

따라서 "isolation"은 격리와 고독함을 나타내는 부정적인 의미가 있고, "separation"은 떨어져 있거나 분리되어 있는 중립적인 의미가 있습니다.

한편, 반도체 공정 분야에서 "isolation"과 "separation" 단어는 다음과 같이 사용될 수 있습니다.

"isolation": 반도체 공정에서, 각 구성 요소 간에 전기적인 격리가 필요한 경우가 많이 있습니다. 예를 들어, CMOS 공정에서 NMOS와 PMOS 트랜지스터 사이에는 서로 다른 전압이 필요하므로, 이들 간에 전기적인 격리를 유지해야 합니다. 이를 위해 "isolation" 공정이 사용되며, 일반적으로는 산화물을 이용하여 각 트랜지스터 주위에 절연층을 형성합니다.

"separation": 반도체 공정에서 "separation"은 일반적으로 다른 물질로부터 반도체 소자를 보호하는 것을 의미합니다. 예를 들어, 반도체 칩에서는 이리듐 등의 금속을 사용하여 전선을 만듭니다. 이리듐은 일반적으로 산화되지 않는 금속이지만, 반도체 공정 중에는 이리듐과 같은 금속이 다른 물질과 반응하여 손상될 수 있습니다. 따라서 "separation" 층이 사용되어, 반도체 소자와 다른 물질 간의 상호작용을 방지합니다.

[isolation 예문]

- The patient was placed in isolation to prevent the spread of the contagious disease. (환자는 전염성 질병의 확산을 막기 위해 격리실에 두어졌다.)
- The astronaut experienced a sense of isolation while in space for six months. (우주에서 6개월을 보내는 동안 우주비행사는 고독감을 느꼈다.)
- The prisoner was punished with solitary confinement, which involved complete isolation from other inmates. (죄수는 다른 수감자들과 완전히 격리된 조악한

구금을 당했다.)

[separation 예문]

- The chemist used a separation technique to isolate the pure compound from the impurities. (화학자는 순도가 높은 화합물을 불순물로부터 분리하기 위해 분리 기술을 사용했다.)
- The divorce marked the separation of a once-happy couple. (이혼은 한 때 행복한 부부의 이별을 의미했다.)
- The metal barrier provided a physical separation between the two sections of the factory. (금속 장벽은 공장의 두 구역 사이에 물리적인 격리를 제공했다.)

26. “명령”에 더 적절한 단어: command, instruction 차이

[ChatGPT 프롬프트]

- "command"와 "instruction"의 차이점을 반도체 장치를 대상으로 설명해 줘.
- 두 단어의 예문을 3개씩 알려줘.

[ChatGPT 응답]

"command"와 "instruction"은 모두 컴퓨터 시스템에서 사용되는 용어이지만, 그 의미는 약간 다릅니다.

"command"는 보통 하드웨어나 소프트웨어에서 발생하는 이벤트를 트리거하는 데 사용되는 용어입니다. 예를 들어, 보드에서 버튼을 누르면 이벤트가 발생하고, 이 이벤트를 트리거하는 명령어를 "command"라고 할 수 있습니다. 반면에, "instruction"은 프로그램 실행을 위한 명령어입니다.

반도체 장치를 대상으로 설명해 보면, "command"는 예를 들어 하드웨어 제어 명령어를 의미합니다. 예를 들어, CPU가 메모리에서 데이터를 읽어와야 할 때, 메모리 컨트롤러에게 데이터를 읽어오라는 명령어를 보내면 됩니다. 이 명령어는 하드웨어를 직접적으로 제어하므로 "command"로 분류됩니다.

반면 "instruction"은 프로그램 실행을 위한 명령어입니다. CPU가 실행하는 명령어는 일반적으로 메모리에서 로드되며, 명령어가 실행되면 CPU는 필요한 데이터를 읽어와 연산을 수행합니다. 이러한 명령어는 소프트웨어에 의해 생성되며, 하드웨어에 명령어를 전달하기 위해 명령어를 인코딩하고 메모리에 저장합니다.

따라서 "command"와 "instruction"은 서로 다른 목적으로 사용되는 용어이며, 하드웨어 제어와 프로그램 실행을 구분하기 위해 사용됩니다.

"command"와 "Instruction" 용어가 사용된 예문을 각각 5개씩 제시합니다.

[command 예문]

- A user enters the "brightness down" command to reduce the brightness on a display connected to a monitor.
- A server administrator executes the "shutdown -r" command in a command prompt to reboot a server.
- A user can make a phone call by executing the "Siri, call John" command on their smartphone.

[instruction 예문]

- The compiler generates machine code that includes instructions such as "MOV AX, 5" as it analyzes source code.
- A programmer writes instructions in C language to execute "if-else" statements in a program.
- The operating system executes the "read sector" instruction as it reads a file from a hard disk.

27. "따라서, 그러므로"에 더 적절한 단어: accordingly, therefore, thus 차이

(번역 대상)

따라서, 공진부에서 생성된 공진 에너지가 외곽으로 전파되는 것을 방지할 수 있다.

접속사 "따라서, 그러므로"가 있는 국문을 번역하면, 각 번역기는 accordingly, therefore, thus 중의 하나로 번역하고 있어서, 어느 것이 더 적절한지 ChatGPT에 물어보았습니다.

[ChatGPT 프롬프트]

- 아래 영어 문장 중 어느 것이 더 적합한지 설명해 줘.
  (1) Accordingly, it is possible to prevent the resonance energy generated by the resonant portion from being propagated to the outside.
  (2) Therefore, it is possible to prevent the resonance energy generated by the resonant portion from being propagated to the outside.
- accordingly, therefore, thus 차이점을 알려줘. 그리고 공학분야에서 사용되는 영어 예문을 각각 3개씩 알려줘.

[ChatGPT 응답]

(1), (2) 문장 모두 문법적으로 올바르고 의미적으로도 유사합니다.

하지만 "accordingly"는 결과를 이해하고 나서 그에 따른 조치를 취한다는 뉘앙스를 가지고 있습니다. 반면에 "therefore"는 그 결과가 이미 명백하게 나타난 후에 이를 이유로 다음 동작을 취한다는 뉘앙스를 가지고 있습니다.

따라서, 문맥에 따라 사용되는 것이 적절한데, 만약 이전 문장에서 이미 결과가 언급되었다면 "therefore"가 더 자연스러울 수 있습니다. 그러나 결과를 이해하고 나서 조치를 취해야 하는 상황이라면 "accordingly"가 더 적절할 수 있습니다. 그러므로 문맥을 고려하여 선택해야 합니다.

다시 말하면, "accordingly", "therefore", "thus" 모두 결과나 결론을 나타내기 위해 사용되는 transition words입니다.

"accordingly"는 앞서 이야기한 내용이나 조건에 따라 논리적인 결론을 도출할 때 사용됩니다.

- The engine is not working properly; accordingly, the car will not start. (엔진이 제대로 작동하지 않기 때문에, 자동차가 출발하지 않을 것입니다.)
- The factory has experienced a decrease in productivity; accordingly, the management is implementing new measures. (공장 생산성이 감소했기 때문에, 경영진은 새로운 조치를 시행하고 있습니다.)
- The project budget has been reduced; accordingly, we will have to adjust our timeline. (프로젝트 예산이 감소했기 때문에, 우리는 일정을 조정해야 합니다.)

"Therefore"는 주로 논리적인 결론을 내리는 상황에서 사용됩니다.

- The data shows a clear trend towards higher sales figures; therefore, we expect to meet our revenue targets for the quarter. (데이터가 높은 매출 추이를 보여주고 있기 때문에, 이번 분기의 수익 목표를 달성할 것으로 예상됩니다.)

- The experiment was conducted with great care and precision; therefore, we can trust the results. (실험은 꼼꼼하게 정밀하게 진행되었기 때문에, 결과를 신뢰할 수 있습니다.)
- The storm caused severe damage to the infrastructure; therefore, the government has declared a state of emergency. (폭풍으로 인해 인프라가 심한 피해를 입었기 때문에, 정부는 비상사태를 선포했습니다.)

"Thus"는 어떤 사실이나 결과를 직관적이고 간결한 방식으로 요약할 때 사용됩니다.

- The company has invested heavily in R&D; thus, it has been able to maintain its position as a market leader. (회사가 연구개발에 큰 투자를 하였기 때문에, 시장 선두주자의 지위를 유지할 수 있었습니다.)
- The new policy will reduce paperwork and simplify procedures; thus, it is expected to save time and money. (새로운 정책은 서류 작업을 감소시키고 절차를 단순화시키기 때문에, 시간과 비용을 절감할 것으로 예상됩니다.)
- The data shows a correlation between higher education levels and higher salaries; thus, it is recommended that individuals invest in their education. (데이터가 높은 교육지공학에서 사용되는 예문을 추가해 드리겠습니다.

28. "전달하다, 전송하다"에 더 적절한 단어: transmit, transfer 차이

(번역 대상)

압전층에서 생성된 열은 보호층을 통해 연결 전극으로 전달될 수 있다.

[ChatGPT 프롬프트]

- (A) 아래 영어 문장 중 더 적절한 거 설명해 줘. 그리고 transmit, transfer 차이를 설명해 줘.

  (1) The heat generated in the piezoelectric layer may be transferred to the connection electrode.
  (2) The heat generated in the piezoelectric layer may be transmitted to the connection electrode.

- (B) "transmit"와 "transfer"의 차이점을 데이터와 관련하여 알려줘. 그리고 각 단어의 사용 예문을 3개씩 알려줘.

[ChatGPT 응답]

(A)

두 문장 모두 비슷한 의미를 가지고 있지만, "transmitted"가 "transferred"보다 적절한 것 같습니다. "transmitted"는 "전달되다"라는 의미를 가지며, "transferred"는 "이전되다"라는 의미를 가지고 있습니다. 이 경우, 열이 전달되어 전달받는 위치에서 방출되는 것이기 때문에 "transmitted"가 더 적절한 단어로 사용될 수 있습니다.

"transmit"과 "transfer"는 둘 다 어떤 것을 한 곳에서 다른 곳으로 이동시키는 것을 의미합니다. 하지만 미묘한 차이가 있습니다.

"transmit"은 정보, 신호, 파동, 열, 에너지 등을 한 장소에서 다른 장소로 전송하는 것을 의미합니다. 이 단어는 전자 통신에서 자주 사용되며, 전송되는 정보나 신호가 변하지 않고 그대로 전달되는 것이 중요합니다.

"transfer"는 물체, 자금, 권한, 소유권 등을 한 장소에서 다른 장소로 옮기는 것을 의미합니다. 이 단어는 물리적인 이동을 의미하는 경우가 많습니다. 예를 들어, 돈을 계좌에서 다른 계좌로 이체하거나, 물건을 한 장소에서 다른 장소로 옮길 때 "transfer"라는 단어를 사용할 수 있습니다.

따라서, 이 문장 중에서 "transmitted"가 더 적절한 단어로 사용된 이유는, 열이라는 것이 파동이나 에너지와 같은 형태로 이동하는 것이기 때문입니다. 반면에 "transferred"는 열이라는 것이 물리적인 물체와 같이 한 장소에서 다른 장소로 이동하는 것을 의미하기 때문에, 이 문장에서는 조금 어색해질 수 있습니다.

(B)
"transmit"와 "transfer"는 모두 데이터 이동을 나타내는 용어입니다. 그러나 두 용어는 조금 다른 의미를 가지고 있습니다.

"transmit"은 데이터를 한 장치에서 다른 장치로 보내는 것을 의미합니다. 보통은 두 장치 간의 통신을 위해 사용되며, 데이터를 보내는 쪽에서 데이터를 받는 쪽으로 보내게 됩니다. 예를 들어, 무선 통신에서 데이터를 전송하거나 인터넷을 통해 이메일을 보내는 경우가 이에 해당됩니다.

반면에, "transfer"는 데이터를 한 장치에서 다른 장치로 이동시키는 것을 의미합니다. 데이터를 이동시키는 장치가 보내는 쪽과 받는 쪽 둘 다가 될 수 있습니다. 일반적으로 파일을 복사하거나 이동하는 경우에 사용됩니다. 예를 들어, USB 드라이브에 파일을 복사하거나, 하드 드라이브에서 파일을 다른 위치로 이동시키는 경우가 이에 해당됩니다.

따라서, 데이터 전송을 나타내는 경우 "transmit"이 더 적절하며, 데이터 이동을 나타내는 경우 "transfer"가 더 적절합니다.

"transmit"과 "transfer"의 각각의 사용 예문입니다.

[transmit 예문]

- The satellite transmits images of the Earth to the ground station.
- The router transmits data packets between devices on the network.
- The cell phone transmits voice and text messages to other phones.

[transfer 예문]

- The employee transferred files from their computer to the shared drive.
- The bank customer transferred money from their checking account to their savings account.
- The moving company transferred furniture and boxes from the old house to the new house.

29. "연결, 결합"에 더 적절한 단어: coupled, combined, connected 차이

[ChatGPT 프롬프트]

- coupled, combined, connected 차이점을 알려줘.
- 3 단어들의 예문을 각각 3개씩 알려 줘.

[ChatGPT 응답]

"coupled", "combined", "connected"은 모두 무언가를 함께 연결하는 데 사용되는 단어입니다. 하지만 각각의 의미에는 약간의 차이가 있습니다.

"coupled"은 두 개 이상의 시스템이 함께 동작하도록 상호 연결되어 있는 경우를 나타냅니다. 두 개 이상의 부분이 서로 영향을 주거나 받으면서, 전체적인 동작에 영향을 미치는 경우를 묘사합니다. 예를 들어, 전기 회로에서 두 개의 회로가 상호 결합되어 작동할 때, 그들은 상호 결합되어 있다고 말할 수 있습니다.

"combined"는 두 가지 이상의 것을 하나로 합치는 것을 나타냅니다. 이는 개별적인 부분들이 하나의 단위로 통합되는 것을 의미합니다. 예를 들어, 두 개의 약물을 결합하여 하나의 치료제로 만들 때, 그들은 합쳐졌다고 말할 수 있습니다.

"connected"는 물리적으로 두 개 이상의 것이 연결되어 있거나, 상호작용하거나, 서로 영향을 주거나 받을 수 있는 상태를 나타냅니다. 이 단어는 일반적으로 전기, 전자, 기계 및 컴퓨터 분야에서 사용됩니다. 예를 들어, 랜선을 사용하여 컴퓨터를 인터넷에 연결하거나, 파이프를 사용하여 물을 연결하는 것과 같이 물리적으로 연결되는 경우에도 "connected"라고 말할 수 있습니다.

요약하자면, "coupled"은 상호작용하여 함께 동작하는 것, "combined"은 여러 개를 하나로 합치는 것, "connected"는 물리적으로 연결되어 있는 것을 나타냅니다.

[coupled 예문]

- The two engines were coupled together to provide more power.
- The behavior of the two particles was coupled, causing them to move in unison.
- The heating and cooling systems are coupled, ensuring a constant temperature is maintained.

[combined 예문]

- The two companies have combined to create a larger, more competitive organization.
- The ingredients were combined in a mixing bowl to make the cake batter.
- The efforts of the entire team were combined to achieve the project's goals.

[connected 예문]

- The health of the economy is coupled to the spending habits of consumers.
- The author combined several genres to create a unique style of writing.
- The power plant is connected to the electrical grid through a series of cables.

30. "접합(하는)"에 더 적절한 단어: bonding, adhesive 차이

[ChatGPT 프롬프트]

- bonding, adhesive 차이점을 알려 줘.
- 두 용어의 영어 예문을 공학 관련해서 3개씩 알려 줘.

[ChatGPT 응답]

"bonding"과 "adhesive"는 모두 물질을 붙이는 데 사용되는 용어입니다. 그러나 두 용어는 약간 다른 의미를 가지고 있습니다.

"adhesive"는 일반적으로 붙이는 물질 자체를 가리킵니다. 즉, adhesive는 붙이는 물질입니다. 일반적으로 glue, tape, epoxy 등을 예로 들 수 있습니다. adhesive는 두 개의 표면을 붙이고 유지시키는 역할을 합니다.

"bonding"은 붙이는 프로세스 자체를 의미합니다. bonding은 붙이는 두 개의 표면을 서로 연결하여 영구적으로 결합시키는 과정입니다. bonding은 adhesive를 사용하여 이루어질 수 있습니다. 또는 두 개의 표면 사이에 섬유나 화학 물질을 사용하여 붙일 수도 있습니다.

따라서, adhesive는 붙이는 물질 자체를 가리키며, bonding은 붙이는 두 개의 표면을 결합하는 프로세스를 의미합니다.

"bonding"과 "adhesive"의 영어 예문 중 일부를 아래에 제시합니다. 이 예문들은 공학 관련 분야에서 자주 사용되는 용어들입니다.

[bonding 예문]

- The bonding of two metal surfaces can be achieved through various methods, such as welding or soldering. (두 금속 표면의 bonding은 용접이나 납땜 등 다양한 방법으로 이루어질 수 있습니다.)
- The strength of the bond between the two materials depends on the quality of the bonding process. (두 재료 사이의 bond 강도는 bonding 과정의 품질에 따라 달라집니다.)
- Bonding agents, such as adhesives or primers, can improve the adhesion between two surfaces. (bonding 에이전트인 adhesive나 프라이머 등은 두 표면 간의 부착력을 향상시킬 수 있습니다.)

[adhesive 예문]

- The aircraft is assembled using a high-strength adhesive that can withstand extreme temperatures and pressures. (비행기는 극한의 온도와 압력에 견디는 고강도 adhesive를 사용하여 조립됩니다.)
- The adhesive properties of a material can be affected by factors such as temperature, humidity, and surface preparation. (재료의 adhesive 특성은 온도, 습도, 표면 처리 등의 요인에 따라 영향을 받을 수 있습니다.)
- The use of adhesives instead of traditional fasteners can result in lighter, stronger, and more aerodynamic structures. (전통적인 체결재 대신 adhesive를 사용하면 더 가볍고 강한 구조물을 만들 수 있으며, 공기역학적 특성도 더욱 좋아집니다.)

31. "열화하다, 저하하다"에 더 적절한 단어: deteriorate, degrade 차이

[ChatGPT 프롬프트]

- deteriorate, degrade 차이점을 알려 줘.
- 두 단어의 공학과 관련한 예문을 3개씩 알려 줘.

[ChatGPT 응답]

deteriorate와 degrade는 비슷한 의미를 갖지만 약간 다른 의미를 가집니다.

"deteriorate"는 무언가가 점차적으로 나쁘게 되는 과정을 나타냅니다. 이는 대개 자연적인 변화, 시간, 부주의 또는 부적절한 조건 등으로 인해 발생합니다. 예를 들어, 건강이 저하되거나 건물이 낡아서 쇠해되는 것과 같은 상황에서 "deteriorate"를 사용할 수 있습니다.

반면에 "degrade"는 대개 인위적인 행동 또는 인간의 개입으로 인해 무언가가 저하되는 것을 나타냅니다. 예를 들어, 환경 오염, 쓰레기 투기, 지역 개발 또는 인간의 부주의로 인해 생태계나 환경이 "degrade"되는 것을 설명할 수 있습니다.

따라서 "deteriorate"는 대개 자연적인 변화나 시간의 흐름에 따라 일어나는 상황에서 사용되고, "degrade"는 대개 인간의 행동에 의해 발생하는 것을 나타내는 데 사용됩니다.

[deteriorate 예문]

- The structural integrity of the bridge has deteriorated due to corrosion of the steel supports. (Civil engineering)
- The quality of the image deteriorated as the camera was moved further away from the object. (Computer vision)
- The performance of the battery deteriorated over time due to repeated charging and discharging. (Electrical engineering)

[degrade 예문]

- The water quality in the river degraded significantly after the factory started dumping waste into it. (Environmental science)
- The sound quality of the music file degraded as it was compressed to a smaller file size. (Audio engineering)
- The accuracy of the machine learning model degraded when it was trained on a smaller dataset. (Artificial intelligence)

32. "이웃한, 인접한"에 더 적절한 단어: neighboring, adjacent 차이

[ChatGPT 프롬프트]

- neighboring, adjacent 차이점을 알려 줘.
- 두 단어의 예문을 3개씩 알려 줘.

[ChatGPT 응답]

"neighboring"과 "adjacent"는 모두 인접한 것을 의미하는 용어입니다. 하지만 두 용어는 약간의 차이점이 있습니다.

"neighboring"은 어떤 지점이나 위치에서 상대적으로 가까운 위치에 있는 것을 의미합니다. 이 용어는 일반적으로 거리적인 개념에 대한 것입니다. 예를 들어, "My house is neighboring the park"라고 말한다면, 내 집과 공원이 거리적으로 가까이 위치해 있다는 뜻입니다.

반면에 "Adjacent"는 두 개 이상의 것이 서로 붙어 있거나 인접해 있는 것을 의미합니다. 이 용어는 일반적으로 물리적인 개념에 대한 것입니다. 예를 들어, "The restaurant is adjacent to the hotel"라고 말한다면, 이 뜻은 레스토랑과 호텔이 서로 붙어 있거나 인접해 있다는 뜻입니다.

따라서, "neighboring"은 거리적 개념을 강조하고, "adjacent"는 물리적인 개념을 강조합니다.

[neighboring 예문]

- Our house is located in a neighboring town.
- The neighboring country has a different climate than ours.
- He borrowed some sugar from his neighboring apartment.

[adjacent 예문]

- The park is adjacent to the school.
- The two buildings are adjacent to each other.
- The adjacent fields are used for farming.

33. 무선 신호: wireless signal, radio signal 중에서 뭘 선택해야 하지?

[ChatGPT 프롬프트]

- "wireless signal", "radio signal" 차이점을 알려 줘.

[ChatGPT 프롬프트]

"wireless signal (무선 신호)"와 "radio signal (라디오 신호)"는 매우 유사한 의미를 갖는 용어이며, 일반적으로 동일한 의미로 사용됩니다.

하지만 엄밀하게 구분하자면, wireless signal는 라디오 주파수 이외의 다른 주파수 범위에서도 사용될 수 있는 신호를 의미하며, 블루투스, 와이파이, 셀룰러 등의 기술에서 사용됩니다.

반면, radio signal는 주로 라디오 송수신기에서 생성되는 전자기파 신호를 의미합니다. 이는 AM, FM 라디오와 같은 방송에 사용되는 주파수 범위를 의미하며, 다른 주파수 범위에서는 일반적으로 라디오 신호로 간주되지 않습니다.

따라서, 일반적으로 이 두 용어는 상호 교체해서 사용되지만, 엄밀하게 구분하자면, wireless signal는 다양한 주파수 범위에서 사용되는 모든 무선 통신을 포괄하는 개념이고, radio signal는 주로 라디오 송수신기에서 사용되는 특정 주파수 범위를 의미합니다.

34. “평면(의)”에 더 적절한 단어: plane/planar, flat 차이

[ChatGPT 프롬프트]

- plane, planar, flat 차이점을 상세하게 알려 줘.
- 3 단어의 예문을 3개씩 알려 줘.

[ChatGPT 응답]

"plane”, “planar", "flat"은 모두 "평면"을 의미하는 단어입니다. "plane"은 평면적인 것을 나타내는 말이며, "planar"는 평면 상에 존재하는 것을 나타내는 형용사입니다. "flat"은 평평하고 고르게 된 것을 의미하며, "plane"과 "planar"과 다른 의미를 갖습니다.

"plane"은 두 점을 지나는 직선을 나타내는 기하학적 용어로, 일반적으로 평면을 의미합니다. 이 용어는 여러 분야에서 사용되며, 특히 항공 운항에서 비행기가 땅과 수평선 상에 위치하는 것을 나타내기 위해 사용됩니다.

"planar"는 평면 상에 존재하는 것을 의미합니다. 이 용어는 주로 수학, 물리학, 공학 등의 분야에서 사용됩니다. 예를 들어, 평면 상에 있는 도형, 곡면, 벡터 등이 planar라고 말할 수 있습니다.

"flat"은 표면이 고르게 평평하게 된 것을 의미합니다. 이 용어는 일반적으로 평면을 의미하지 않으며, 특히 높이나 굴곡이 없는 것을 나타내는 데 사용됩니다. 예를 들어, 바닥, 책상, 물건 등이 flat일 수 있습니다.

따라서, 이 세 용어는 모두 어떤 형태가 평평하게 되어 있는 것을 의미하지만, "plane"은 기하학적인 용어로 평면을 나타내며, "planar"는 그림이나 곡면, 벡터와 같이 평면 상에 존재하는 것을 나타내며, "flat"은 평면이 아니라 표면이 고르고 평평한 것을 의미합니다.

[예문]

- The paper was lying flat on the desk. (종이는 책상 위에 평평하게 놓여 있었다.)
- The plane crashed into the ocean. (비행기가 바다에 불시착했다.)
- The geometry problem involved finding the equation for a planar surface. (기하학 문제는 평면 상의 표면의 방정식을 찾는 것을 포함했다.)

- The table had a planar surface. (테이블은 평면적인 표면을 가졌다.)
- The map showed the planar layout of the city. (지도는 도시의 평면적인 구조를 보여줬다.)
- The sculpture was carved from a single block of planar stone. (조각은 단 하나의 평면 돌에서 조각되었다.)

- The ground was flat and even." (땅은 평평하고 고르게 되어 있었다.)
- The painting depicted a flat horizon stretching out to the sea. (그림은 바다로 이어지는 평평한 수평선을 묘사하고 있었다.)
- The mattress was too flat and uncomfortable to sleep on. (매트리스는 너무 평평하고 불편해서 자기에 적합하지 않았다.)

35. "주기(週期)"에 더 적절한 단어: cycle, period 차이

[ChatGPT 프롬프트]

- cycle, period 차이점을 알려 줘.
- 두 단어의 예문을 각각 3개씩 알려 줘.

[ChatGPT 응답]

cycle과 period는 모두 시간과 관련된 용어입니다.

cycle은 주기적으로 반복되는 일련의 사건을 뜻합니다. 예를 들어, 자전거 타는 동작은 큰 바퀴가 한 바퀴 회전할 때마다 한 cycle이 일어납니다.

반면, period는 주기의 길이를 의미합니다. 주기는 한 cycle에서 다음 cycle까지 걸리는 시간을 말하는데, 이 시간을 period라고 합니다. 예를 들어, 자전거 타는 동작의 period는 큰 바퀴가 한 바퀴 회전하는 데 걸리는 시간입니다.

간단히 말해서, cycle은 사건의 반복을, period는 반복되는 주기의 길이를 의미합니다.

[cycle 예문]

- The stock market has been going through a cycle of booms and busts. (주식 시장은 붐과 붕괴의 주기를 거치고 있다.)
- The water cycle describes the continuous movement of water between the

earth, atmosphere, and oceans. (물 순환은 지구, 대기권, 해양 사이의 지속적인 물 이동을 설명합니다.)

- The menstrual cycle is a recurring process that occurs in the female reproductive system. (월경 주기는 여성 생식기에서 반복되는 과정입니다.)

[period 예문]

- The Earth's rotation period is approximately 24 hours. (지구의 자전 주기는 약 24시간입니다.)
- The moon's orbital period around the Earth is about 27.3 days. (달의 지구 주위 공전 주기는 약 27.3일입니다.)
- The music had a slow tempo with a period of 4 beats per measure. (음악은 한 마디마다 4박자의 주기를 갖는 느린 템포를 가지고 있었다.)

- The business experienced a cycle of growth and decline." (그 사업은 성장과 하락의 사이클을 겪었다.)

36. “영역”에 더 적절한 단어: area, region 차이

[ChatGPT 프롬프트]

- area, region 차이점을 알려 줘.

[ChatGPT 응답]

"area"와 "region"은 모두 특정 지리적 지역을 나타내는 용어입니다. 그러나 미묘한 차이점이 있습니다.

"area"는 특정 지역이 차지하는 면적이나 넓이를 나타냅니다. 이 용어는 일반적으로 수학, 지리학, 건축학 등과 같은 분야에서 사용됩니다.

"region"은 일정한 지리적, 경제적, 정치적, 문화적, 생태적 등의 특징을 공유하는 지역을 나타냅니다. 이 용어는 일반적으로 지리학, 정치학, 사회학 등과 같은 분야에서 사용됩니다.

예를 들어, "area"는 주차장의 면적이나 국가의 면적을 나타낼 수 있으며, “region”은 지방, 지역, 문화권, 생태구역 등을 나타낼 수 있습니다.

더 구체적으로, “area”는 보다 정확한 수치를 나타내며, 이에 따라 다양한 용도로 사용될 수 있습니다. “region”은 일반적으로 인간의 생활이나 사회 활동에 관련된 특징을 중심으로 분석하고, 이에 따라 다양한 정책, 계획, 조치를 취할 수 있습니다.

따라서, 이 두 용어는 비슷한 의미를 가지고 있지만, 그 적용 분야와 의미의 깊이에서 차이가 있습니다.

[ChatGPT 프롬프트]

- 아래 두 영어 문장 중 어느 것이 더 적합한가?

  (1) The substrate may include a first region.

  (2) The substrate may include a first area.

[ChatGPT 응답]

첫 번째 문장 "The substrate may include a first region."이 더 적합합니다.

기판(substrate)이 포함하는 것이 지리적, 공간적인 개념인 영역(region)이므로, "first region"이라는 용어를 사용하는 것이 자연스러운 선택입니다. 반면, "area"는 보통 물리적인 크기나 면적을 나타내는데 사용되므로, "first area"라는 용어는 문맥상 자연스럽지 않습니다.

[ChatGPT 프롬프트]

- 아래 문장 영작해줘.

  트랜지스터는, 소오스 영역, 게이트 전극 및 공통 영역을 포함할 수 있다.

[ChatGPT 프롬프트]

The transistor may include a source region, a first gate electrode, and a common region.

37. "아래, 밑에"에 더 적절한 단어: below, under 차이

(번역 대상)

- *기판은 공진기 아래에 형성된 캐비티(cavity)를 가질 수 있다.*
- *기판은 플로팅 영역을 감싸면서, 이미터 아래에 배치될 수 있다.*

[ChatGPT 프롬프트]

- 아래 영어 문장 중 더 적절한 거 설명해 줘.

  (1) The substrate may have a cavity formed under the resonators.

  (2) The substrate may have a cavity formed below the resonators.

[ChatGPT 응답]

두 문장 모두 거의 동일한 의미를 가지고 있으며, "cavity formed under"와 "cavity formed below"의 차이점은 간단합니다.

"under"는 무언가가 다른 물체 위에 위치해 있음을 나타내는 반면, "below"는 물체의 아래쪽에 위치함을 나타냅니다.

따라서, 만약 다른 물체와 함께 사용되는 경우 "under"가 더 적절합니다. 예를 들어, "the book is under the table"과 같이 표현할 수 있습니다. 반면, "below"는 물체가 무엇인지 상관없이 물체의 아래쪽에 있음을 나타내므로, 단독으로 사용할 때 더 적절합니다.

그러므로, 위의 문장에서는 “The substrate may have a cavity formed under the resonators."가 더 적절합니다.

[ChatGPT 프롬프트]

- 아래 영어 문장 중 어는 것이 더 적절한지 설명해 줘.

  (1) The substrate may be disposed under the emitter while surrounding the floating region.

  (2) The substrate may be disposed below the emitter while surrounding the floating region.

[ChatGPT 응답]

두 문장 모두 문법적으로 정확하지만, "disposed under" 대신 "disposed below"를 사용하는 것이 더 적절합니다.

"under"는 일반적으로 물리적인 위치를 나타내는 것으로, 무언가가 위에 위치할 때 사용됩니다. 반면 "below"는 상대적인 위치를 나타내는 것으로, 무언가가 더 낮은 위치에 있을 때 사용됩니다.

그러므로, "disposed below"를 사용하여 substrate이 emitter와 base의 밑에 위치하고 floating region를 둘러싸는 것을 더 잘 나타낼 수 있습니다.

[ChatGPT 프롬프트]

- below, under 차이점을 알려 줘.

[ChatGPT 응답]

"below"와 "under"는 다른 대상과 관련하여 무언가의 위치나 위치를 설명하는 데 사용되는 전치사입니다.

"below"와 "under"의 주요 차이점은 "below"는 다른 물체보다 낮은 위치에 있는 것을 설명하는 데 사용되는 반면 "under"는 다른 물체에 의해 물리적으로 지원되거나 아래에 있는 것을 설명하는 데 사용된다는 것입니다.

예를 들어 "the fish is under the water"라고 하면 물고기가 물에 비해 낮은 위치에 있다는 뜻입니다. 반면에 "the book is under the table"이라고 하면 책이 물리적으로 테이블에 의해 지지되고 그 아래에 위치한다는 의미입니다.

따라서 다른 물체보다 낮은 위치나 위치를 나타내려면 "below"를 사용합니다. 무언가가 물리적으로 지지되거나 다른 물체 아래에 있음을 나타내려면 "under"를 사용합니다.

38. “더 큰”에 더 적절한 단어: larger, greater 차이

(번역 대상)

제2 패널의 폭은 제1 패널의 폭보다 클 수 있다.

[ChatGPT 프롬프트]

- 아래 영문 중 어느 것이 더 적합한가?

  (1) A width of the second panel may be greater than a width of the first panel.

  (2) A width of the second panel may be larger than a width of the first panel.

[ChatGPT 응답]

두 문장 모두 의미상으로는 비슷하지만, "larger"는 크기나 길이에 대한 상대적인 차이를 설명할 때 주로 사용되는 반면, "greater"는 수량적인 차이를 설명할 때 사용됩니다.

따라서, "A width of the second panel may be larger than a width of the first panel."이 더 적합한 문장입니다.

39. "위치(배치)하다"에 더 적절한 문구: be located, positioned, disposed 차이

[ChatGPT 프롬프트]

- be located, be positioned, be disposed 차이점을 알려 줘.
- 각 문구에 대한 예문을 각각 2개씩 알려 줘.

[ChatGPT 응답]

"be located," "be positioned," "be disposed"는 모두 무언가의 위치, 배치 또는 배열을 설명하는 데 사용할 수 있는 문구이지만 뉘앙스와 의미는 약간 다릅니다.

" be located"는 일반적으로 무언가를 찾거나 배치할 수 있는 특정 장소 또는 사이트를 의미합니다. 고정되거나 확립된 위치를 의미하며 건물, 도시 또는 지리적 특징의 위치를 설명하는 등 보다 공식적인 맥락에서 자주 사용됩니다.

"be positioned"는 무언가를 배치한다는 점에서 "be located"와 유사하지만, 의도적이거나 전략적인 배치를 암시하는 경우가 많습니다. 물체나 사람의 물리적 배치와 계층 구조 또는 시스템에서의 위치를 설명하는 데 사용할 수 있습니다.

"be disposed"는 문맥에 따라 여러 가지 의미를 가질 수 있지만, 일반적으로 무언가를 배열하거나 설정하는 방식을 의미합니다. 또한 어떤 것에 대한 사람의 태도나 성향을 가리킬 수도 있습니다. 물리적인 의미로는 물건의 정리나 배치를 설명할 수 있고, 좀 더 추상적인 의미로는 상황에 대한 누군가의 사고방식이나 접근 방식을 설명할 수 있습니다.

[ChatGPT 추가 설명 및 예문]

"be located", "be positioned", "be disposed"는 모두 어떤 대상이나 물체가 어디에 있거나 위치하고 있는지를 나타내는 동사입니다. 하지만 각각의 용어에는 약간의 차이가 있습니다.

"be located": 대상이 어떤 위치에 있는지를 강조하며, 주로 구체적인 장소나 위치에 대한 정보를 나타냅니다.

[예문]

- The store is located on Main Street.
- The museum is located in the downtown area.

"be positioned": 대상이 어떤 위치에 놓여 있는지를 강조하며, 일반적으로 위치가 중요한 상황에서 사용됩니다.

[예문]

- The camera is positioned at a high angle to get a better view.
- The soldiers were positioned strategically around the perimeter of the base.

"be disposed": 대상이 어떤 위치나 방향에 있거나 특정한 배열이 되어 있는 것을 강조하며, 주로 비교적 형식적인 문서나 설명서에서 사용됩니다.

[예문]

- The chairs are disposed in a circle for the meeting.
- The parts are disposed in a specific order for assembly.

따라서, 이 세 가지 문구는 비슷한 의미를 가지지만, 사용되는 맥락이나 강조하는 부분에 약간의 차이가 있습니다.

40. “약, 대략”에 더 적절한 단어: about, approximately 차이

[ChatGPT 프롬프트]

- about, approximately 차이점을 설명해 줘.
- 각 단어에 대한 예문을 각각 3개씩 알려 줘.

[ChatGPT 응답]

"about"과 "approximately"는 둘 다 대략적인 양이나 시간을 나타내는 부사로, 두 단어 모두 "약", "대략"의 의미를 가지고 있습니다. 하지만 미묘한 차이가 있습니다.

"about"은 정확한 양이나 시간을 모를 때 사용됩니다. 이 단어는 대략적인 양을 나타내는 데 사용되며, 실제로는 그 양보다 크거나 작을 수 있습니다. 예를 들어, "It's about 10 kilometers from here"라는 문장에서 "about"은 "약 10킬로미터"라는 것을 나타내며, 실제로는 조금 더 멀거나 가까울 수 있습니다.

반면에 "approximately"는 더욱 정확한 대략적인 양이나 시간을 나타냅니다. 이 단어는 실제 양과 매우 가깝다는 것을 나타내며, 정확한 수치를 모르더라도 대략적인 범위를 나타내는 데 사용됩니다. 예를 들어, "The trip will take approximately 2 hours"라는 문장에서 "approximately"는 "대략 2시간"이라는 것을 나타내며, 실제로는 2시간 이상이나 이하일 수 있지만, 그 범위는 매우 가깝습니다.

따라서, "about"은 좀 더 대략적인 범위를 나타내는 데 사용되며, "approximately"은 더욱 정확한 대략적인 범위를 나타내는 데 사용됩니다.

[about 예문]

- I have about 10 dollars in my pocket. (내 주머니에는 약 10달러가 있어요.)
- The meeting will start at about 3 o'clock. (미팅은 대략 3시에 시작할 거예요.)
- The hotel is about 2 miles away from here. (그 호텔은 여기서 약 2마일 떨어져 있어요.)

[approximately 예문]

- The package will arrive in approximately 5 days. (패키지는 대략 5일 후에 도착할 거예요.)
- The temperature will drop to approximately -5 degrees tonight. (오늘밤 기온은 대략 마이너스 5도로 떨어질 거예요.)
- The concert is expected to last approximately 2 hours. (콘서트는 대략 2시간 동안 진행될 것으로 예상돼요.)

41. "크게, 더욱"에 더 적절한 단어: greatly, significantly 차이

(번역 대상)

공진부의 공진 에너지는 활성 영역에서 외부 영역으로 더 크게 감쇠된다.

[ChatGPT 프롬프트]

- 아래 영어 문장 중 더 적절한 거 설명해 줘.

  (1) The resonant energy of the resonant portion is more greatly attenuated from the active region to the outer region.

  (2) The resonant energy of the resonant portion is more significantly attenuated from the active region to the outer region.

[ChatGPT 응답]

두 문장 모두 문법적으로 정확하고 비슷한 의미를 전달하지만, 두 번째 문장의 "more significantly"가 첫 번째 문장의 " more greatly"보다 더 적절하고 정확합니다.

"more significantly"는 감쇠가 더 눈에 띄고 의미가 있다는 것을 강조하는 반면, "more greatly"는 약간 모호하고 감쇠가 얼마나 더 큰지 명확하게 전달하지 않습니다. 따라서 두 번째 문장이 의도한 의미를 전달하는 데 더 효과적입니다.

42. "절연"에 더 적절한 단어와 관사의 사용여부: insulation, insulating 차이

(번역 대상)

제1 층은 절연층을 포함하고, 제2 층은 금속을 포함할 수 있다.

[ChatGPT 프롬프트]

- 아래 영어 문장 중 더 적절한 거 설명해 줘.

  (1) The first layer may include an insulation layer, and the second layer may include metal.

  (2) The first layer may include an insulating layer, and the second layer may include a metal.

[ChatGPT 응답]

두 번째 문장인 "The first layer may include an insulating layer, and the second layer may include a metal." 이 더 적절합니다.

이 문장에서 "insulating"은 절연 기능을 수행하는 것을 설명하는 올바른 형용사입니다. "a"라는 관사는 두 번째 층에 어떤 종류의 금속이든 사용될 수 있음을 나타내므로 "metal" 앞에 올바르게 사용되었습니다.

반면 첫 번째 문장에서는 "insulation"이라는 명사를 형용사로 잘못 사용하고 있어 문장의 의미가 불분명합니다. "The first layer may include an insulation layer, and the second layer may include metal."은 문법적으로 잘못되지 않았지만, "insulating"을 사용하는 것이 의미 전달과 더 일관성 있습니다.

43. “부분, ~부”에 더 적절한 단어: part, portion 차이

(번역 대상)

제1 패널은 제1 부분과 제2 부분을 포함할 수 있다.

[ChatGPT 프롬프트]

- 아래 영어 문장 중 어느 것이 더 적절한지 설명해 줘.

  (1) The first panel may include a first part and a second part.

  (2) The first panel may include a first portion and a second portion.

- part, portion 각각의 영어 예문을 3개씩 알려줘.

[ChatGPT 응답]

두 문장 모두 문법적으로 정확하지만, "part" 대신 "portion"을 사용하는 것이 더 적절합니다.

"part"는 일반적으로 전체 중 일부분을 나타내는 것으로 사용됩니다. 반면 "portion"은 일부분을 나눌 때 사용되는 더 구체적인 용어입니다.

따라서, panel이 두 부분으로 나누어진다는 것을 나타내기 위해 "portion"을 사용하는 것이 더 자연스럽고 적절합니다.

즉, 두 문장 모두 비슷한 의미를 가지고 있지만, 일반적으로 "portion"은 "part"보다 더 구체적인 느낌을 전달합니다. 예를 들어, 만약 "panel"이나 다른 물체가 분리 가능한 조각으로 이루어져 있을 경우, "portion"이 더 적절합니다. 반면, "part"는 더 일반적인 의미를 가지고 있으므로, 단순히 분할되거나 세분화된 요소를 나타낼 때 사용됩니다.

[Examples using "part"]

- The first part of the project is to gather data.
- She played a key part in the success of the company.
- The car needs a new part to fix the engine.

[Examples using "portion"]

- She ate a small portion of the pizza and saved the rest for later.
- The recipe calls for a portion of the mixture to be set aside for later use.
- The room was filled with a large portion of natural light from the windows.

44. "평평하게(평탄하게) 하는"에 더 적절한 단어: planarizing, flattening 차이

(번역 대상)

전극층을 평탄화하는 과정

[ChatGPT 프롬프트]

- 아래 영문 중 더 적절한 거 설명해 줘.
  (1) a process of flattening the electrode layer
  (2) a process of planarizing the electrode layer
- planarizing, flattening 각각의 영문 예문을 3개씩 알려줘

[ChatGPT 응답]

두 문장 모두 "전극층의 평탄화"를 의미하지만, 미묘한 차이가 있습니다.

" a process of flattening the electrode layer"은 모양을 만드는 과정에서 모양이 생긴 후에 모양이 부풀어 오르거나 왜곡된 부분을 평평하게 만드는 과정을 의미합니다. 따라서 이 용어는 모양을 만드는 초기 단계에서는 적합하지 않습니다.

" a process of planarizing the electrode layer"은 모양을 만드는 초기 단계에서부터 적용될 수 있습니다. 이 용어는 모양을 만들기 전에 모양이 될 표면을 평탄하게 만드는 과정을 의미합니다. 이는 종종 반도체 제조 과정에서 사용되는 용어입니다.

따라서, "모양을 만드는 초기 단계에서 평탄화를 수행하는 경우"에는 " a process of

planarizing the electrode layer" 용어가 더 적합합니다.

[planarizing 예문]

- The process of planarizing the wafer surface is critical to achieving high-quality semiconductor devices.
- Planarizing the metal interconnects helps to reduce the resistance and capacitance of the circuit.
- In order to achieve a uniform film thickness, planarizing the substrate surface is necessary before deposition.

[flattening 예문]

- The technician used a hammer to flatten the metal sheet before cutting it to size.
- Flattening the dough before baking helps to ensure an even thickness and consistent texture.
- After installing the new carpet, the workers used a heavy roller to flatten it out and remove any wrinkles.

위 예문에서 볼 수 있듯이, **"planarizing"**은 반도체나 전자 제품 제조과정에서 정밀하게 사용되는 용어이며, **"flattening"**은 보다 일반적인 용어이며, 다양한 문맥에서 사용될 수 있습니다.

45. “분사/주입”에 더 적절한 단어: injection, spray 차이

(번역 대상)

기체 공급 부재는 분사홀을 통해 분사될 기체를 공급한다.

[ChatGPT 프롬프트]

- 아래 영문 중 더 적절한 거 설명해 줘.

  (1) The gas supply member supplies gas to be injected through the injection hole.

  (2) The gas supply member supplies gas to be sprayed through the spray hole.
- injection, spray 각각의 영문 예문을 3개씩 알려줘

[ChatGPT 응답]

"spray"와 "injection"은 모두 유체나 기체를 다른 물질에 뿌리거나 주입하는 것을 의미하지만, 그 방법과 목적에서 차이가 있습니다.

"spray"는 일반적으로 액체나 기체를 분사하여 분산시키는 것을 말합니다. 스프레이 페인트, 스프레이 데오드란트 등이 그 예입니다. 스프레이는 일반적으로 낮은 압력으로 분사되며, 공기나 물, 화학 물질 등 다양한 유체를 분산시키는 데 사용됩니다.

반면에 "injection"은 액체나 기체를 높은 압력으로 주입하는 것을 의미합니다. 주로 의료, 산업, 자동차 등의 분야에서 사용됩니다. 주입의 목적은 보통 액체나 기체를

정확하게 목표물에 전달하거나, 액체나 기체의 형태나 특성을 변화시키는 데 사용됩니다.

간단히 말해서, "spray"는 유체를 분산시키는 것에 초점을 두고, "injection"은 유체를 목표물에 정확하게 전달하는 것에 초점을 둡니다.

따라서, "1) The gas supply member supplies gas to be injected through the injection hole"이 더 적절합니다.

"Injected"는 액체나 기체 등을 주입하는 것을 의미하고, "injection hole"이란 특정 지점으로 액체나 기체 등을 주입하기 위한 구멍을 의미합니다. 따라서 이 문장은 분사홀을 통해 주입되는 가스를 설명하기에 더 적절합니다.

"spray hole"은 분사홀로부터 분사되는 액체나 가스를 의미하기도 하지만, "spray"는 주로 액체를 분사할 때 사용하는 용어이므로, 이 경우에는 "injection hole"이 더 적합합니다.

[injection 예문]

- The nurse gave him an injection to relieve his pain.
- The injection of new capital helped the company expand its operations.
- The injection molding process is used to create plastic parts with high precision.

[spray 예문]

- She sprayed perfume on her neck before leaving the house.
- The gardener sprayed the plants with insecticide to protect them from pests.

- The firefighters sprayed water onto the burning building to extinguish the flames.

46. “통로/경로”에 더 적절한 단어: passage, path 차이

(번역 대상)

음향소자의 일측에 공기 통로가 형성될 수 있다.

[ChatGPT 프롬프트]

- 아래 영문 중 더 적절한 거 설명해 줘.
  (1) An air path may be formed at one side of the sound element.
  (2) An air passage may be formed at one side of the sound element.
- path, passage 각각의 영문 예문을 3개씩 알려줘

[ChatGPT 응답]

"path"는 일반적으로 지정된 경로, 길, 도로, 보행자나 차량이 이동하는 경로를 의미합니다. 일반적으로 특정 목적지에 도달하기 위해 따르는 경로를 나타내기도 합니다.

"passage"는 통로 또는 통로의 일부를 나타내는데 사용됩니다. 주로 통과하는 것이 의도된 공간이나 통로를 의미합니다. 예를 들어, 건물 안의 복도나 긴 터널을 말할 수 있습니다.

즉, "path"는 목적지를 찾기 위해 따라가는 경로를 의미하고, "passage"는 통과할 수 있는 공간을 나타내는 것입니다.

따라서, 두 문장은 유사한 의미를 가지고 있지만, **"passage"**는 물체 내에서 공기나 액체가 통과하는 경로를 의미하고, **"path"**는 특정 지점에서부터 다른 지점으로 가는 경로를 의미하므로, 이 문장에서는 **"passage"**가 더 적절한 용어입니다.

[passage 예문]

- The air passage in the engine provides oxygen for the combustion process.
- There was a small passage in the wall through which they could hear each other.
- The artist created a beautiful passage of light through the stained glass window.

[path 예문]

- The path through the forest is not very well-marked.
- The path to success is different for everyone.
- She took a winding path up the mountain to reach the summit.

47. “통과하다, 관통하다”에 더 적절한 단어: penetrate, pass through 차이

(번역 대상)

제1 패턴은 관통홀과 달리 표시 패널을 관통하지 않는다.

[ChatGPT 프롬프트]

- 아래 영문 중 가장 적절한 거 설명해 줘.

  (1) Unlike the through-hole, the first pattern does not penetrate the display panel.

  (2) Unlike the through-hole, the first pattern does not penetrate through the display panel.

  (3) Unlike the through-hole, the first pattern does not pass through the display panel.

[ChatGPT 응답]

위 세 영문은 모두 비슷한 의미를 가지고 있으며, "제1 패턴(first pattern)"이 "디스플레이 패널(display panel)"을 통과하지 않는다는 것을 나타내고 있습니다.

그러나 문맥에 따라 약간의 차이가 있을 수 있습니다. "penetrate"와 "pass through"는 거의 동의어이며, "penetrate through" 조금 더 구체적인 뜻을 가지고 있습니다.

따라서 문장에서 "penetrate"가 더 적절하게 사용되었으며, 문장 전체를 고려하면 (2)번이 가장 자연스럽게 읽히는 것 같습니다.

[ChatGPT 프롬프트]

- penetrate, pass through 차이를 알려줘.
- penetrate, pass through 영어 예문을 각각 3개씩 알려줘.

[ChatGPT 응답]

"penetrate"와 "pass through"는 모두 무언가가 통과하거나 관통하는 것을 나타내는 동사입니다.

그러나 "penetrate"는 물체가 다른 물체를 통과하면서 그 안으로 들어가는 것을 의미합니다. 예를 들어, "The bullet penetrated the wall"은 총알이 벽을 관통하여 안으로 들어갔다는 것을 의미합니다.

반면에 "pass through"는 물체가 다른 물체를 통과하지만, 그 안에 들어가지 않는 것을 의미합니다. 예를 들어, "The light passes through the window"는 빛이 창문을 통과하지만, 창문 안으로 들어가지 않았다는 것을 의미합니다.

따라서 "penetrate"는 물체가 다른 물체를 완전히 관통하여 안으로 들어가는 것을 의미하고, "pass through"는 물체가 다른 물체를 통과하지만, 안으로 들어가지 않는 것을 의미합니다.

[penetrate 예문]

- The needle penetrated the skin easily.
- The bullet was able to penetrate the armor.
- The virus can penetrate the cell membrane.

[pass through 예문]

- Sound waves can pass through water more easily than through air.
- The signal was unable to pass through the interference.
- Light can pass through some materials but not others.

++++++++++++++

[후기] 구글번역, 파파고, 딥엘 비교 평가

특허 번역업계에서 활동하고 있는 번역가 지인들의 각 번역기에 대한 비교 평가입니다.

영한 번역가인 지인의 비교 평가입니다. “제가 사용해 본 바로는 딥엘(DeepL)이 영한번역에서 구글번역(Google Translate)보다 문장을 더 자연스럽고 매끄럽게 표현하는 것 같습니다.”

한영/영한 번역가인 다른 지인의 비교 평가입니다. “딥엘은 오역이 문제될 수 있겠습니다. 문장을 매끄럽게 하지만, 전문 용어를 부적절하게 번역하는 경향이 드물게 있습니다. 예를 들어, ‘most significant bit’는 ‘최상위 비트’인데, ‘최하위 비트’로 오역하는 경우가 있습니다.” *(아래 그림 참조) (후기를 작성하는 시점 기준)*

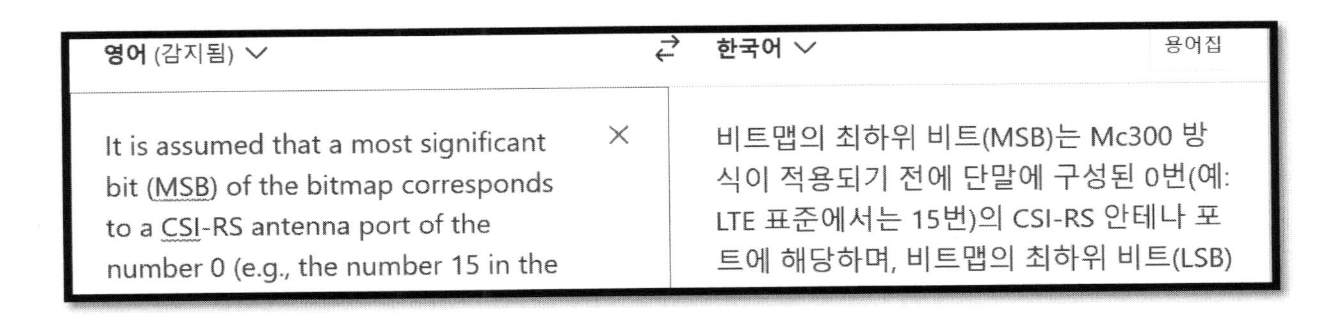

“반면에, 구글번역은 ‘최상위 비트’를 ‘MSB(Most Significant Bit)’로 처리하여 오역을 피하고 있습니다.” *(아래 그림 참조) (후기를 작성하는 시점 기준)*

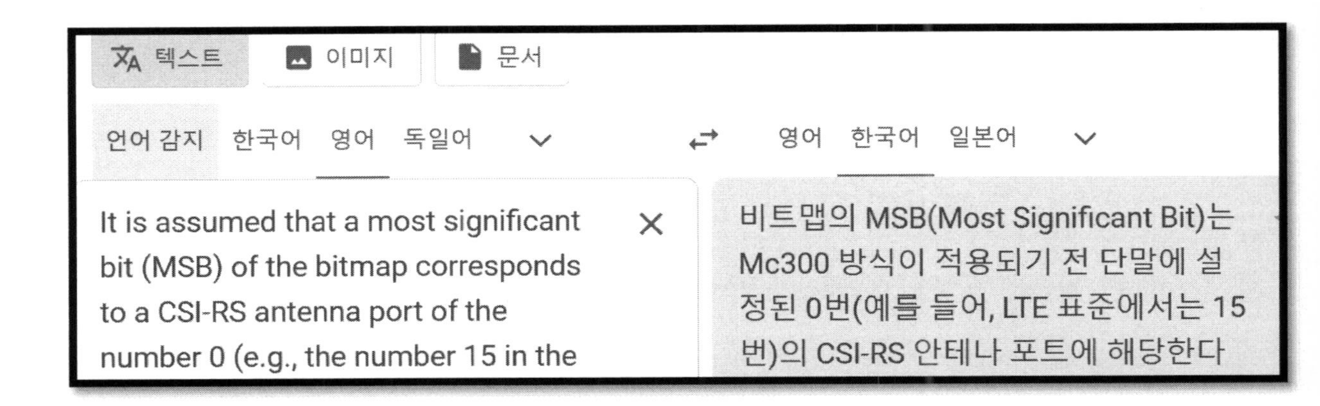

"따라서, 딥엘은, 현시점(후기를 작성하는 시점)에서 판단할 때, 전문용어가 많이 나오는 기술문서에서 문제될 수 있는 오역이 나올 가능성을 배제할 수 없습니다. 특히, 문장 구조가 복잡하면, 틀린 내용으로 자연스럽고 매끄럽게만 번역할 가능성이 있습니다.

구글번역은 내용은 적절히 번역하는 대신에, 표현이 거칠고, 문장이 복잡하거나 내용을 잘 모르면, 번역을 포기해버리는 경향이 있기 때문에, 이런 경우 번역이 잘못되었다는 것을 번역자가 쉽게 인지할 수 있습니다.

구글번역에 비해 딥엘의 번역 문장이 워낙 자연스럽고 매끄러워서, '딥엘이 훨씬 좋다'라고 판단할 수 있지만, 특허번역에서처럼 권리범위와 표현의 정확성, 내용 누락 금지를 엄격하게 요구하는 분야에서, 실제 업무상 (단순 내용 확인이 아니고) 딥엘을 사용하기에는 불안한 면이 있습니다.

따라서, 표현 참고용으로는 딥엘이 괜찮고, 실제 번역 업무 활용에는 구글번역이 덜 불안하다고 볼 수 있습니다.

한편, 위의 내용을 파파고로 번역해 보았습니다. *(아래 그림 참조) (후기를 작성하는*

시점 기준)

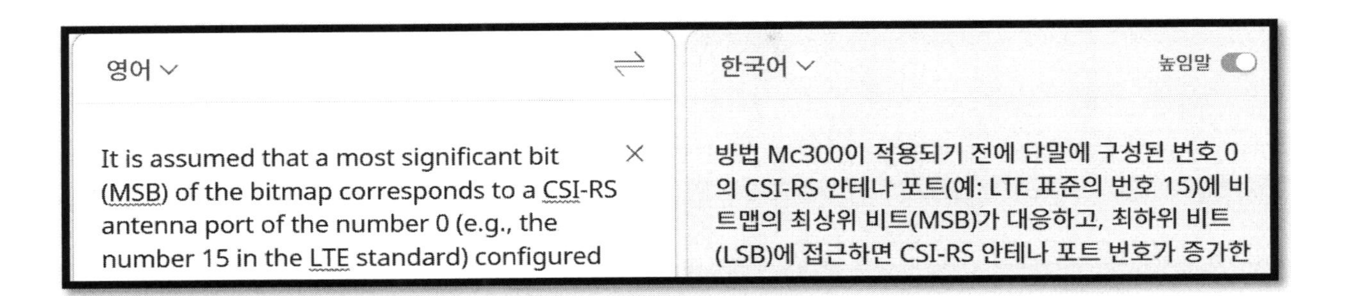

파파고의 번역 내용을 보면, 딥엘과 구글번역에서 문제가 되었던 용어 'most significant bit'를 '최상위 비트'로 정확하게 번역하고 있습니다. 파파고가 토종 번역기여서 한국어로 처리하는데 강점이 있는 듯합니다.

따라서, 비즈니스 영어 데이터를 중점적으로 학습한 것으로 알려진 딥엘은 문과 계열 및 비즈니스 영어에서 사용하고; 한국어에 강점이 있는 파파고는 국어의 의미를 정확하게 반영할 필요가 있는 번역 및 구어체의 번역에서 사용하고; 풍부한 영어 문서 학습을 바탕으로 한 구글번역은 누락없는 정확한 번역이 필요할 때 사용하는 것이 좋겠습니다.

+++++++++++

- 메모1 -

- 메모2 -

- 메모3 -